W9-CSR-283

REMEDIOS
HOMEOPÁTICOS:

Smith, Trevor, 1934–
Remedios homeopáticos :
guía de tratamientos para
c1999.
33305017615901
BK MH   08/11/00
   3/07
WITHDRAWN

REMEDIOS HOMEOPÁTICOS

Guía de tratamientos para la salud integral

Trevor Smith

árbol editorial

SANTA CLARA COUNTY LIBRARY-BK

3 3305 01761 5901

© 1999 Árbol Editorial, S.A. de C.V.
    Av. Cuauhtémoc 1430
    Col. Sta. Cruz Atoyac
    México, D.F. 03310
    Tel.: 5605 · 7677
    Fax: 5605 · 7600
    editorialpax@mexis.com

Primera edición
ISBN 968-461-142-0
Reservados todos los derechos
Impreso en Colombia/*Printed in Colombia*

Índice

Prefacio   7

Cómo usar este libro   9

Introducción   15

1. Los problemas comunes y accidentes de la niñez   25

2. Las enfermedades durante la adolescencia   105

3. Enfermedades agudas de las parejas adultas   145

4. El reto de la edad madura   269

5. Los ancianos y las dificultades para su cuidado   299

PREFACIO

Este muy sencillo y práctico libro guía para homeopatía básica fue escrito para la familia por un médico general, para dar una referencia inmediata a los principales tratamientos recomendados para los padecimientos comunes y problemas de primeros auxilios que se presentan en el hogar.

El libro está dividido en cinco secciones distintas que tratan sobre: 1) los problemas comunes y accidentes de la niñez; 2) los delicados problemas emocionales del adolescente; 3) los repentinos e inesperados padecimientos agudos de la pareja adulta; 4) el reto de la edad madura y los problemas que puede traer consigo; 5) los ancianos y las dificultades especiales de su cuidado. En cada sección hay una anotación general que está orientada psicológicamente para ayudar a un acercamiento comprensivo a los delicados problemas emocionales que se presentan en cada edad. Después viene una lista detallada de las enfermedades físicas más comunes de cada grupo, y la mejor manera de tratarlas homeopáticamente, con una guía de los remedios más apropiados.

Como generalmente sucede en la homeopatía, la intención es darle igual énfasis tanto a los aspectos físicos de la salud como a los mentales. Hay que subrayar la importancia de un acercamiento y una actitud general con la mente abierta a todas las enfermedades, de cualquier tipo, ya sean físicas o emocionales.

Por último, éste es esencialmente un libro de uso cotidiano muy práctico que debe usarse como referencia inmediata. Se recomienda que se tenga a mano junto con las hojas de registro de tratamiento, para que todas las enfermedades y los detalles de su tratamiento junto con los resultados, se puedan registrar. Esto es importante para el caso de que posteriormente se presente el mismo problema en el mismo miembro de la familia.

Es un libro al cual se le pueden agregar experiencias posteriores y nuevos tratamientos, y es, sobre todo, un libro de referencia; para escribir en él y para usarse.

CÓMO USAR ESTE LIBRO

1. Determine la naturaleza del problema y busque en el índice el tratamiento con los detalles de los remedios que se recomiendan.
2. Tomando en cuenta los síntomas principales (o las quejas del paciente) y también los signos (cualquier cosa anormal que usted observe), busque el remedio en el que más encaje el cuadro de la enfermedad que observa y de la cual se queja el paciente.
3. Cuando los síntomas sean los de un problema físico claramente definido —como una caída, quemadura, raspón, dolor de oído o infección de la garganta— administre el remedio recomendado, a la sexta potencia centésima (o dinamización) tres veces al día.
4. Si después de veinticuatro horas no hay respuesta al tratamiento en la sexta potencia, consulte de nuevo la página y dé el siguiente remedio más indicado que corresponda a los síntomas de la enfermedad, en la misma potencia, tres veces al día.
5. Si el paciente no mejora, habiéndole dado un segundo remedio a la sexta potencia el cual parece estar bien indicado según las anotaciones, entonces administre el remedio que escogió primero (el que corresponde mejor a los síntomas) a la treintava potencia, cada hora por seis dosis, o

hasta que haya una mejoría. Si no hay respuesta después de darla cada hora a la treintava potencia, o el paciente está empeorando, y el estado del enfermo es para alarmarse, debe consultar a su médico homeópata inmediatamente.

6. Cuando haya una marcada perturbación mental y psicológica, administre el remedio en el que más encajen los síntomas, a la treintava potencia solamente tres veces a la semana. Tales perturbaciones mentales pueden presentarse solas o a veces estar ligadas a los típicos problemas físicos que se anotan. Por ejemplo, ataques de berrinches y cólera intensa junto con problemas de la dentición (*Chamomilla*), o un problema de depresión en un adolescente, con irritabilidad marcada, estreñimiento y problemas gástricos (*Nux vomica*).

7. Cuando hay un problema psicológico, a cualquier edad, refiérase a la sección general de esa determinada edad para encontrar ayuda con el mejor y más sensible acercamiento a tales dificultades. Sólo después de esto consulte el índice y las hojas de referencia para el remedio apropiado.

8. Cuando hay un problema de colapso severo, fiebre alta, vómito, ausencia de flatos (o gas) que salga del intestino, o si el abdomen se siente duro, o el paciente se queja de dolor muy fuerte e inaguantable, o el pulso es débil, usted deberá llamar al doctor para pedirle consejo, y no intente tratar el problema usted mismo.

9. Después de diagnosticar el caso y habiendo seleccionado el remedio, tome nota inmediatamente de los siguientes puntos, usando una hoja de registro como se indica en la página. Esto se puede hacer mejor si usa un cuaderno que se puede guardar con este libro.

    a) Nombre de la persona, su edad y fecha.

    b) Los principales síntomas con una nota de cualquier modalidad (factores de agravación).

    c) La hora exacta del comienzo de los síntomas.

    d) El remedio empleado, su fuerza o potencia, y la frecuencia con que se administró.

e) El resultado del tratamiento, qué tan pronto hubo una respuesta al remedio, y en el caso de que no la hubiera, esto también se debe anotar.

10. Con las potencias más altas de 30c y más, una sola dosis puede producir una mejoría considerable y a veces una cura completa. Tan luego como ocurra una mejoría, generalmente ya no es necesario dar más dosis del remedio. Cuando haya alivio aparente, pero se vuelvan a dar los síntomas iniciales, continúe el mismo tratamiento hasta que se sostenga el alivio.

Si después de un alivio aparente vuelven a darse los síntomas, pero en un marco en el cual encaje mejor el cuadro cambiado de la enfermedad, adminístrelo con la misma potencia y frecuencia como anteriormente hasta que el alivio sea satisfactorio.

Tome nota de que la sexta potencia está dirigida más directamente a condiciones locales, y que es mucho menos común que la dosis única en esta potencia produzca resultados tan rápidos.

Veinte remedios homeopáticos básicos para el botiquín de la familia

1. *Aconitum*	6. *Carbo Veg.*	11. *Kali. Bich.*	16. *Nux Vomica*
2. *Arnica*	7. *Chamomilla*	12. *Ledum*	17. *Phosphorus*
3. *Arsenicum Alb.*	8. *Gelsemium*	13. *Lycopodium*	18. *Sepia*
4. *Belladona*	9. *Hepar Sulph.*	14. *Mag. Phos.*	19. *Sulphur*
5. *Bryonia*	10. *Hypericum*	15. *Natrum Mur.*	20. *Thuja*

Ungüentos: Un tubo de *Caléndula* y uno de *Hypericum*.

Todo esto debe adquirirse en una farmacia homeopática de buena reputación. Con la excepción de la *Chamomilla*, que se debe pedir en forma granulada, estos remedios deben pedirse en forma de tabletas a la sexta y treintava potencia. El tamaño de tubo de 7 gramos es adecuado para la mayoría de las familias, y la lista se puede ir agrandando según la experiencia. Los remedios deben almacenarse en una caja hermética y limpia, en un lugar seco, fresco y oscuro, lejos de los olores fuertes tales como el alcanfor o los perfumes.

Si en cualquier momento se ha dado un remedio y la respuesta no ha sido satisfactoria, a pesar del hecho de que el cuadro clínico (o los síntomas del paciente) parecen indicar fuertemente que hay que administrar ese remedio preciso, entonces será bueno adquirir una nueva provisión y eliminar las tabletas que se tenían guardadas.

Una dosis excesiva de las tabletas no presenta peligro y aun en el caso de que se tomaran todas, el peor efecto sería un ligero trastorno estomacal. Sin embargo, siempre deben guardarse en un lugar seguro, lejos de los niños, pero deben tenerse a la mano para cuando se necesiten. Acuérdese de llevar siempre con usted los remedios homeopáticos de la familia cuando salga de vacaciones, pues frecuentemente es en estos momentos cuando más se necesitan.

INTRODUCCIÓN

El médico alemán Samuel Hahnemann fundó la homeopatía al principio del siglo pasado, como una alternativa viable de los métodos médicos convencionales. Cada vez más preocupado por los peligros y complicaciones de los crudos métodos físicos comunes en los tratamientos de su época, desarrolló un enfoque más suave y efectivo basado en principios antiguos de curación. A pesar de una gran oposición, usó con mucha efectividad sustancias naturales de origen vegetal, animal y mineral y las cuales tenían la propiedad de estimular la respuesta curativa del cuerpo contra las enfermedades. Comenzando con sus clásicos experimentos con corteza de quinina usada para el tratamiento del paludismo, más tarde pudo desarrollar una amplia gama de sustancias curativas, después de muchos años de investigación, lo cual es ahora la base de la farmacopea homeopática moderna. Este enfoque ha resistido la prueba del tiempo, y hay ahora un número que va en aumento de clínicas y centros de tratamiento que usan sus métodos, en muchas partes del mundo.

Tanto en esencia como en acción los remedios que se usan en la prescripción homeopática difieren totalmente de la mayoría de las medicinas que se usan en la medicina convencional hoy en día. Aunque los tratamientos se han vuelto más sofisticados desde la época de Hahnemann, de muchos modos las actitudes ortodoxas y el acceso al paciente siguen siendo casi las mismas. Todavía existe la misma tendencia a dar tratamientos excesivos, torpes con sobre-prescripciones prolongadas que raras veces se justifican. Al mismo tiempo, el uso de medicamentos supresivos que tienen como único fin eliminar síntomas, pueden dejar al paciente tan exhausto y débil como los tratamientos más antiguos de sangrías y purgas. Además, muy frecuentemente vienen complicaciones de efectos secundarios indeseables y también problemas serios de adicción y dependencia. Una vez que el efecto de sombrilla de tales paliativos desaparece, frecuentemente resurge una forma más severa e incontrolable del problema original, provocando que los tratamientos subsiguientes se tornen más prolongados y complicados.

El principio homeopático quizá se pueda resumir mejor en la frase en latín *similia, similibus, curentur,* la cual quiere decir: "Úsense sustancias semejantes para tratar padecimientos semejantes." La palabra griega "homeopatía", quiere decir "padecimiento igual o similar", y se refiere al principio homeopático único de usar el remedio "igual" o "similar" para efectuar una curación. El remedio *similium* es esa sustancia que cuando se administra en su forma natural sin diluir estimula un patrón de síntomas que son similares, pero no idénticos a aquéllos de la enfermedad original.

Para entender el principio *similium,* será útil observar algunos ejemplos bien conocidos de cómo trabajan los principios homeopáticos. Si se administra la *Belladona* en su forma natural que es el veneno común del seto vivo llamado Sombra Nocturna Mortal, provoca una fiebre intranquila alta, sed, irritabilidad, una piel ardiente y ardor de la garganta y oídos. La *Belladona* en forma homeopática es curativa para el niño con síntomas similares, que está intranquilo, tiene fiebre alta, sed, la piel ardiente, está irritable, con la garganta inflamada y adolorida o que tiene una infección en el oído.

De la misma manera, el vinagre, o ácido ascético, aplicado a la piel en su forma concentrada, generalmente es irritante,

16

causa rubor, irritación con comezón intolerable. También es un remedio conocido para los piquetes de insecto, y ofrece alivio inmediato particularmente contra los piquetes de la familia de las hormigas rojas, que atacan inyectando en la piel pequeñas cantidades de ácido fórmico, que es afín, y causa rubor ardiente, irritación y comezón. De esta manera, se está usando el vinagre homeopáticamente, y de acuerdo con los principios del *similium,* aunque en esta ocasión éste no ha sido convertido a su forma más diluida para remedio.

Los remedios homeopáticos se preparan en diluciones seriadas de las sustancias naturales que se han descubierto por la experiencia clínica, que estimulan una acción curativa. Uno de los aspectos singulares de la homeopatía es el diluir en su preparación los remedios a proporciones infinitesimales, y es una salvaguarda contra la toxicidad y efectos secundarios del tratamiento. Al mismo tiempo, diluir los remedios aumenta su poder de estimular una respuesta. Tales principios son bastante conocidos ahora en la física nuclear y en las teorías energéticas modernas. Al avanzar la tecnología y los conocimientos del análisis de la sangre y la química del suero, especialmente con el uso del microscopio electrónico, se han encontrado vestigios de elementos que juegan un rol significativo en la salud, aunque están presentes en el cuerpo en la misma escala diluida como se usan en homeopatía. Un distintivo más en la preparación de los remedios es que, durante el proceso esencial de dilución, cada potencia sucesiva se agita fuertemente o se vitaliza, sacudiendo vigorosamente. Esto desarrolla las propiedades especiales del remedio. Naturalmente éste es un proceso que toma tiempo y requiere mucha atención para obtener precisión y pureza.

La potencia y fuerza de un remedio se relaciona directamente con el grado de diluciones seriadas, es decir, mientras más se diluye la tintura madre más grande será el poder del remedio para actuar. Mientras más se diluye un remedio —por ejemplo, si se usa la escala centesimal común en el Reino Unido, a la sexta potencia (10^{-12}) o a la treintava potencia (10^{-60})— su amplitud y espectro de acción se intensifica. A la sexta potencia el remedio actúa mucho más a nivel patológico o tisular —yo quiero creer que éste actúa a un nivel funcional— mientras que cuando se usa la treintava potencia la esfera psicológica tanto como lo tisular se incluyen en el rango de acción del remedio.

La homeopatía no pretende ser una panacea o curatodo, ni un sustituto completo para todos los avances de la medicina moderna y la cirugía. Sin embargo, para muchos casos ofrece una alternativa segura y rápida a las medicinas alópatas, muchas de las cuales no son efectivas y pueden ser dañinas. Por ejemplo, en investigaciones recientes se ha demostrado que los colorantes que cubren algunas medicinas empleadas para el tratamiento del asma pueden producir una reacción alérgica, provocando así el mismo espasmo y problemas que pretenden curar.

Una característica más, es la atención que presta el homeópata a su paciente y a los muchos factores muy personales que contribuyen a su nivel de salud o de enfermedad. Se toman en cuenta tanto los aspectos emocionales como los físicos, en conjunto, para formar un panorama completo como base para diagnosticar y prescribir. El grado de desarrollo y madurez junto con las muchas variantes o modalidades de respuesta a los alimentos, clima, ruido, y a otras personas, todo se toma en cuenta. Finalmente se decide por un remedio que no sólo responde a los síntomas de particulares, sino que también se toma en cuenta la peculiaridad del individuo, su estilo de vida y patrón de salud o enfermedad.

En los últimos años, más que nunca, muchas familias han buscado en la homeopatía una alternativa a la medicina convencional. Hay muchas razones para este cambio de punto de vista en el mundo entero y expresa una profunda insatisfacción con un enfoque que es mecánico y que está basado en la supresión de síntomas. Esta supresión, desde luego, lleva finalmente a la supresión del individuo, más que a una preocupación por su crecimiento y desarrollo, y a una comprensión de su padecimiento y lo que este significa.

En general, la gente discierne y profundiza cada vez más. Quiere estar mejor informada de los riesgos que implican los tratamientos que receta su doctor y quiere poder considerar una opción alterna. Tal vez los pacientes necesitan poder opinar y discutir sobre qué sustancias se van a usar en su tratamiento, el de su familia y el de sus hijos con el fin de entender mejor las implicaciones y complicaciones de tales tratamientos. También es cierto que ahora más y más gente acepta que no sólo es responsable de la calidad de su vida en general, sino también del grado y calidad de su salud.

Cuando se consideran los problemas comunes que ocurren en el hogar y en la familia es, antes que todo, importante entender qué es lo que queremos decir cuando hablamos de salud, con el fin de llegar a una mejor comprensión de su ausencia cuando existe una enfermedad y dolencia. Ciertamente la salud implica un sentimiento de bienestar en el sentido psicológico tanto como en el físico. No sólo se debe estar libre de dolor físico y molestias, sino que debe existir un sentimiento general de armonía, con una ausencia de ansiedad mental, tensión y temor. Síntomas pasajeros y breves son el precio que todos pagamos por vivir en una sociedad de la edad del jet, y éstos reflejan presiones del ambiente especialmente las del ruido y la contaminación. Para muchos, el hacinamiento, con condiciones de trabajo y de vida deficientes, son una carga más. Todo esto tiene su costo en el organismo muy imperceptiblemente al principio.

Normalmente, cuando se tiene salud, se tiene conciencia del propio cuerpo —un sentimiento de que el corazón palpita sin agitarse, que el cuerpo se mueve y los pulmones respiran— con un sentimiento general de gozo de cualquier actividad. Este sutil sentimiento de la salud se ve impedido en las más tempranas etapas de la enfermedad y de ahí siguen los sentimientos tenues, fuera de tono, de irritabilidad, fatiga y languidez que son comunes al principio de una enfermedad. Es importante tomar conciencia de que el stress, o daño, se puede dar en muy distintos niveles; todo depende de la severidad del stress, de la resistencia de cada individuo, de su estado general y de su salud.

Tipos comunes de stress que causan enfermedades

A nivel físico el daño puede ser causado por los sucesos traumáticos comunes que se dan en la escuela o en la casa, tales como una cortada, caída o golpe, o quizá una súbita salida al frío húmedo o al aire helado. Un exceso de calor también causa stress, provocando un colapso y estado de coma.

Cuando el stress se da a un nivel psicológico más profundo, sus efectos pueden ser más dañinos y duraderos. Esto puede ocurrir con la pérdida de un amigo cercano o un pariente, o durante el rompimiento de un matrimonio o relación, o por dificultades serias en el trabajo o la escuela. En los casos en que las personas han sido víctimas de un ataque físico, el shock emocional puede tardar más en curarse que la lesión física exterior.

Puede haber stress a nivel de cromosomas o hereditario. En este caso hay una tendencia familiar o hereditaria a la debilidad de cierto órgano o parte del cuerpo que puede haberse dado a lo largo de varias generaciones. Estos factores están a menudo presentes en dolencias tales como la migraña, el asma, la enfermedad cardiaca, la presión arterial, el eczema y algunos de los males más raros tales como la hemofilia. Estos factores hereditarios que causan una mayor disposición a ciertas enfermedades específicas se llaman miasmas. Hahnemann consideraba que pasaban de una generación a otra y que eran una causa importante de enfermedades crónicas y de varios problemas de salud incurables. A causa de la debilidad que producen, éstos son un factor subyacente de stress, y pueden requerir repetidas recetas de sedantes y tranquilizantes que buscan inútilmente el alivio de síntomas recurrentes y que no responden a los tratamientos convencionales.

20

No es fácil definir el nivel más profundo, y la mejor manera de llamarlo es stress "existencial" o espiritual. Es muy común en nuestra sociedad actual, y es muy similar y sin embargo muy distinto de, la enfermedad mental. Aunque frecuentemente lo acompañan la ansiedad y la angustia, el problema se encuentra mucho más profundo, y se caracteriza por la soledad, confusión de rol e identidad, y dudas sobre el propósito y el sentido de la vida. Generalmente se da depresión y tristeza, pero sólo a nivel superficial y es una complicación de la crisis, más profunda en donde las metas, creencias, fe y toda la razón de vivir y la existencia humana misma se ponen en entredicho.

El pensamiento homeopático básico y el concepto fundamental del tratamiento y curación, es que los síntomas cambian a través del curso de éste. Tales cambios siguen unos principios bien definidos que fueron propuestos primero por el homeópata americano Constantino Hering al final del último siglo. Hering observó que los trastornos que se presentaban originalmente, con frecuencia tendían a cambiar de lugar, o trasladarse de la parte superior del cuerpo a áreas inferiores como una respuesta al tratamiento. Por ejemplo, un salpullido puede moverse del cuero cabelludo a los hombros; o un dolor artrítico cambiar de la región del cuello hacia las manos. Los síntomas también se trasladan desde los órganos más profundos y vitales a los menos vitales y más superficiales. El dolor de angina puede aliviarse, pero ser reemplazado después de un corto tiempo por una molestia reumática en las manos o los pies, habiéndose dado el cambio de una dolencia del sistema cardiaco más central del cuerpo hacia las áreas más periféricas y relativamente menos importantes de las articulaciones y las coyunturas.

También es fundamental de la homeopatía que los síntomas más recientes se alivian primero, y después son frecuentemente reemplazados por otros que datan de una época más temprana. Éstos pueden ser problemas recurrentes, o hasta olvidados, habiendo sido frecuentemente suprimidos parcialmente por medio de tratamientos convencionales durante un largo tiempo y sin haber sido nunca totalmente curados o aliviados. Tales síntomas tempranos, al reaparecer, ahora pueden ser más efectivamente atendidos con un remedio homeopático.

Hahnemann enfatizó que la homeopatía solamente puede ser efectiva si no existen causas obstructivas o mecánicas subyacentes que provoquen los síntomas y dolencias. Por ejemplo, cuando existe una dislocación de la columna vertebral, o una obstrucción intestinal, que se puede deber a adherencias o fibrosis, el problema mecánico ha de solucionarse a través de la manipulación o cirugía antes de que la homeopatía pueda curar. Cuando el problema es menos severo, remedios tales como *Graphites* o *Thiosinaminum* pueden ser muy efectivos para eliminar las adherencias y las cicatrices de los tejidos. Antes de una intervención quirúrgica o física, el remedio homeopático puede ser muy valioso para reducir los efectos secundarios de la operación y minimizar las molestias.

Desde un principio Hahnemann enfatizó la importancia de la mente sobre la salud y sostuvo que es la calidad de nuestras actitudes y pensamientos la que da la clave para nuestra resistencia y vitalidad básicas. No existe una separación artificial de la mente y el cuerpo; y la homeopatía le da tanta importancia a los procesos mentales de la persona como a los físicos, al determinar la causa subyacente de la enfermedad y sus tratamientos. Siempre hay un elemento emocional, muchas veces escondido y no expresado. Este concepto fue desarrollado por médicos tan eminentes como Freud y Groddeck casi cien años después de que Hahnemann asentó firmemente las bases de la homeopatía en la psicología del individuo. Los cambios del estado mental comúnmente preceden al desarrollo de los síntomas corporales al tiempo que las fuerzas energéticas curativas intentan erradicarlos. El homeópata ve la enfermedad como un estado de dolencia de la persona total y no nada más como un suceso que se está dando aislado en una coyuntura o miembro, sin relación con actitudes y sentimientos.

Casi todos los contratiempos sin importancia que se dan en el hogar, causados aparentemente por descuidos, fatiga y falta de atención, son muchas veces llamadas de atención de problemas emocionales más profundos que brotan a la superficie. Muchos de los síntomas más comunes que nos preocupan, tales como las migrañas, indigestión, problemas de la piel, accidentes de automóvil, o el súbito brote de una vieja úlcera, son generalmente sólo las manifestaciones externas de tensiones subyacentes. Las familias con niños pequeños, especialmente cuando tienen un niño sensible, están generalmente muy conscientes de esto. Problemas como ansiedad por el cambio de escuela, un próximo examen o una amistad trastornada, se reconocen como factores significativos que preceden el desarrollo de una dolencia física o enfermedad. Eczema, asma, garganta irritada, apendicitis y problemas estomacales son muchas de las enfermedades más comunes de la niñez que frecuentemente tienen una base psicológica.

La sociedad y el mundo en general están en un estado siempre cambiante de flujo y movimiento particularmente en el área de los valores personales, morales y éticos. Los ideales y códigos de comportamiento están cambiando y evolucionando a un paso cada vez más acelerado. Estos cambios sociales externos reflejan los cambios que ocurren dentro de la familia así como las presiones sobre la misma. Por lo tanto surgen dificultades para muchas familias cuando estos cambios son tan rápidos que es duro ajustarse a ellos, de tal manera que surgen presiones y malos entendidos. Frecuentemente es esta combinación de cambio social acelerado y pugnas en la familia la que causa dolencias y decaimiento.

La homeopatía es una valiosa contribución al alivio de algunos de los problemas de nuestra sociedad cada vez más mecanizada y presionada, a través de su enfoque de la persona total; y su capacidad, en las potencias más altas, de abrir los aspectos imaginativos de la mente y la personalidad.

1

LOS PROBLEMAS COMUNES Y ACCIDENTES DE LA NIÑEZ

Cuando se consideran las etapas más tempranas del desarrollo del hombre, es motivo de asombro constante recordar cómo éste repite en su periodo relativamente corto de crecimiento intrauterino la historia de la evolución completa de la raza humana.

El equivalente de millones de años de adaptación infinitamente lenta está comprimido dentro de estos primeros meses, en las diferentes etapas de crecimiento del hombre desde el principio de los tiempos.

Desde el momento de la concepción, cuando la célula primitiva fertilizada cambia rápidamente de la criatura unicelular más simple, empieza el milagro y, a través del proceso de división, se vuelve cada vez más complejo en la medida que pasa por todas las etapas del vertebrado primitivo.

Al nacer culmina en lo que debe ser uno de los pasos más significativos en la historia de la humanidad. El embrión cambia de ser una criatura totalmente acuática, desarrollándose dentro de un medio acuoso, a ser capaz repentinamente, no sólo de sobrevivir, sino de seguirse expandiendo y crecer hasta llegar a ser un animal terrestre completamente maduro.

Una vez que se completa el rompimiento con la existencia como renacuajo, el hombre desarrolla y coordina totalmente nuevas habilidades de control muscular, y puede rápidamente sentarse, controlar su cuello y cabeza, gatear, usar sus miembros y ponerse de pie. Se vuelve una criatura en movimiento, capaz de trasladarse, hacer contacto y encontrarse con otros animales terrestres similares. En la niñez temprana el hombre repite lo que es quizá la hazaña suprema de la humanidad, es decir, el desarrollo de las funciones intelectuales más altas, y la habilidad de entender, comprender, percibir, recordar y desarrollar un lenguaje, de tal manera que puede comunicarse con los de su propia especie en la medida en que va madurando. Cada vez más puede desarrollar la capacidad del pensamiento intuitivo, sensibilidad y compasión: la marca suprema del Homo Sapiens. Con esto viene la posibilidad de expresar ideas individuales y abstractas, conceptos que contribuyen y, quizá eventualmente, ayudan a construir una sociedad sana y una cultura. Éste es el milagro de la concepción, la gestación y el nacimiento.

Así como en las etapas más tempranas del desarrollo el hombre pasa a través de una etapa fetal acuática, seguida por un periodo de crecimiento terrestre, esto se refleja en muchos de los remedios básicos que se usan en la homeopatía. Muchos de los principales remedios de eficacia profunda se originan en el mar, y tienen un efecto profundo y duradero sobre los procesos mentales y emocionales que se desarrollan durante las primeras semanas de la existencia del hombre.

La *Sepia* es uno de los más importantes remedios acuáticos, que actúa profundamente y por largo tiempo sobre los órganos reproductores, la mente y los procesos mentales. Preparado de la tinta del pulpo, es uno de los más importantes remedios para las mujeres.

El *Natrum Mur.* actúa fuertemente sobre ambos sexos; se prepara de sal marina o cloruro de sodio y es otro remedio básico y profundo, que actúa con un espectro amplio sobre el cuerpo en general, especialmente los procesos mentales y las emociones. La relación cercana de este remedio con el agua y el mar, se ve claramente en los tejidos hinchados de aspecto enfermizo de la cara y los ojos de la persona en la cual el remedio está indicado. Frecuentemente los tobillos están hinchados y edematosos y la acción del riñón, el órgano principal de control del agua en el cuerpo, es débil. El *Natrum Mur.* ejerce una acción tónica y estimulante sobre las funciones del riñón y, después que se ha tomado el remedio, frecuentemente hay una abundante eliminación de agua del cuerpo.

La *Calcarea* se saca de la concha de la ostra, y también es un remedio importante de produndo y amplio espectro, y ejerce un fuerte efecto sobre los procesos mentales y psicológicos. Se ve claramente su vínculo con el agua y la distribución de líquidos en el cuerpo. El paciente típico que requiere *Calcarea* tiene la piel húmeda y floja, como si todos los músculos estuvieran flotando en una cantidad de fluido excesivo, lo cual debilita su función, tono y fuerza. Con frecuencia todo el cuerpo está exudando transpiración y la frente está empapada en sudor.

El *Yodo* es otro remedio acuático o marino, que surte efecto sobre las funciones hormonales, y está relacionado con las algas marinas.

Los remedios terrestres importantes se relacionan más con las épocas posteriores del desarrollo, e incluyen muchos de los remedios minerales y vegetales y son *Sulphur, Phosphorus, Bryonia* (Lúpulo Silvestre Blanco), *Lycopodium* (licopodio). Estos remedios actúan particularmente sobre las articulaciones y los miembros del cuerpo, los órganos del movimiento y la función motora, y generalmente ayudan a estimular y curar todas las actividades relacionadas con la tierra —en particular, la interacción social, la comunicación, el lenguaje, el comer y deglutir y cualquier problema de traslado o movimiento. Esto puede variar desde el miedo a volar, o agorafobia, hasta un problema artrítico en una articulación o miembro. La *Rhus Tox.* (Toxicodendro o Artiga) ejerce un fuerte efecto sobre las articulaciones y el movimiento en general, el cual facilita y estimula; pero surte también efecto sobre la lengua y la quijada, los principales órganos de la comunicación verbal.

Cada niño es único y hay una enorme variedad en sus patrones de comportamiento. Tanto la herencia como el ambiente juegan roles importantes, y estas diferencias se experimentan y se expresan de diversas maneras —niveles de vitalidad y energía; gustos y aversiones; la forma y proporciones del cuerpo; grado de coordinación; temperamento, y la resistencia o predisposición a distintas enfermedades. Es este patrón de tendencias el que no sólo hace la peculiaridad del niño, sino que también el homeópata aprovecha para asegurarse de cuál remedio queda mejor o cuadra con el patrón individual de los rasgos temperamentales y físicos de la constitución de la persona y dará los mejores resultados en el tratamiento.

El remedio "constitucional" es siempre uno de los policrestos o de amplio espectro que tiene una amplia esfera de acción, que estimula la actividad del cuerpo sobre una gran extensión de áreas físicas y mentales. El médico tiende a agrupar los principales rasgos físicos y mentales del paciente dentro de un amplio cuadro total junto con aspectos de la persona, y que dan cuenta de su individualidad y singularidad.

El cuadro incluye la estructura física, los niveles de energía, las características mentales y físicas, temperamento y cualquier gusto o aversión específico. Entonces este conjunto se iguala con los patrones completos de síntomas de los principales remedios policrestos. El tipo particular de patrón individual de los rasgos físicos, aspectos mentales y de vitalidad, se denominan con el nombre del remedio policresto que más se asemeja a ellos.

Este agrupamiento es por conveniencia al prescribir y procura un marco en el cual se incluyen los rasgos individuales predominantes del paciente. Esto es ni rígido ni absoluto, particularmente en el niño que puede necesitar una mezcla de varios remedios, aunque básicamente pertenezca a un grupo por la mayoría de sus rasgos físicos y actitudes. El tipo constitucional puede cambiar con tratamiento y madurez. En el adulto el marco de referencia es más determinado y fijo, de tal manera que frecuentemente, una vez que el tipo constitucional básico ha sido establecido, ya no varía. El mismo remedio básico policresto usualmente ayudará a la persona y probará su eficacia una vez que su valor ha sido probado en el pasado. Frecuentemente, en el adulto, el mismo remedio constitucional básico resultará curativo durante muchos años cuando aparezcan los síntomas, y resulta efectivo en alta potencia o dilución cada vez que la persona se encuentre en un estado de baja vitalidad. Naturalmente esto varía con la causa y diagnóstico del problema subyacente, pero frecuentemente una dosis única, que se tome con poca frecuencia, es suficiente para mantener a la persona libre de síntomas y sana.

Algunos tipos constitucionales en los niños

Los niños que requieren *Calcarea* son pálidos, friolentos, de estructura fofa y tendientes a la obesidad. Generalmente van retrasados en las etapas comunes del desarrollo y son nerviosos, inquietos y tienen poca confianza en sí mismos. Tienden a ser especialmente propensos a infecciones de la garganta y diarrea. Un rasgo es que frecuentemente son muy aficionados a los huevos, y cuando son bebés pueden tender a comer ciertas sustancias raras tales como tierra, jabón, gis, lápices, etcétera.

El *Phosphorus* está indicado en los niños que son delgados, nerviosos, pálidos y de ojos brillantes; generalmente son muy populares, sociables y sobresalientes, sin embargo son muy sensibles, temerosos de los rayos y situaciones nuevas y necesitan ser tranquilizados constantemente. Les encantan y desean los alimentos y bebidas helados, y también la sal. Frecuentemente tienen bronquios débiles.

La *Silicea* es valiosa para el niño pequeño, pálido, delgado y friolento, que frecuentemente es de baja estatura con manos y pies sudorosos, tímido e inseguro aunque a menudo es de temperamento testarudo. Generalmente hay una infección de la garganta u oídos, con pus amarillo y la piel está reseca y enfermiza.

El *Lycopodium* es bueno para los niños que son más bien muy delgados y friolentos, que tienen la piel seca y casi nunca sudan. Generalmente son poco competitivos y más intelectuales que deportistas. Con frecuencia tienen aspecto de preocupación, que se asocia con problemas de indigestión y flatulencia desde temprana edad. A menudo tienen deseos de comer cosas dulces y necesitan compañía por su disgusto o temor de quedarse solos en casa.

Los niños que pueden requerir *Natrum Mur.* tienen la piel grasosa y la tendencia a salar demasiado su comida. Son de disposición nerviosa pero no les importa quedarse solos en la casa puesto que son bastante independientes. A menudo son pequeños, bajos de estatura y bajos de peso.

La *Sepia* está indicada en los niños tristes, a veces llorosos, irritables, bastante pasivos, siempre agotados sin reservas de energía. Tienden a ser estreñidos y vorazmente hambrientos, con dolores de estómago que "jalan hacia abajo". Estos niños siempre están dispuestos a una caminata enérgica o ejercicio una vez que dominan su desgano, y reaccionan bien en una reunión social, en donde pueden ser el alma y vida de la fiesta.

La *Pulsatilla* está indicada en los niños pálidos, rubios, algo tímidos y regordetes, generalmente de disposición pasiva, pero de humor cambiante, lloran fácilmente a la menor provocación. Hay una marcada intolerancia al calor y a las habitaciones mal ventiladas porque se acaloran fácilmente; aunque por lo contrario, pueden tener mucho frío aun en verano. Es común la indigestión, que se agrava por comer demasiadas pastas que tienen almidón, y a menudo están inquietos en la noche y se despiertan para comer galletas o beber algo. En general son sensibles, caprichosos, muy cambiantes e impredecibles.

El *Sulphur* ayuda a los niños que son de sangre cálida, casi nunca sienten frío y por lo general son bastante gordos. Tam-

bién pueden ser delgados, pero generalmente lentos, sonroja-
dos y desaliñados; no les gusta el agua ni lavarse, y son fácilmente irritables. Su comida favorita es casi siempre grasosa,
particularmente la mantequilla, la cual untan lo más espesa
posible. En total son difíciles, indisciplinados e inconformes.

Desgraciadamente, algunos niños, debido a múltiples y
variados factores, incluyendo influencias hereditarias que
afectan el desarrollo durante la vida intrauterina o al nacer,
están dañados de alguna manera. Pueden ser hiperactivos o
mentalmente subnormales, con una capacidad disminuida de
expresarse, responder y comprender. Se puede ayudar en tales casos con la condición de que el daño no sea demasiado severo, y remedios como *Baryta Carb.* y *Tub. Bov.* son buenos para estos casos. Ésta última es especialmente útil cuando hay
algún indicio de enfermedad tuberculosa en la familia, quizá
en generaciones bastante anteriores. En general, los bloqueos
del crecimiento mental o físico deben ser tratados con uno de
los remedios marinos. Así sucede con el Síndrome de Down, o
mongolismo, o cuando ha habido una enfermedad en las primeras semanas del embarazo, como rubeola o influenza.

A veces si se da un remedio como *Natrum Mur.* a través de
un largo periodo y en potencias variables, éste puede promover
el crecimiento y la mejoría de la condición en general. Cuando
ha habido un shock al momento de nacer, como en el caso de
un alumbramiento rápido y precipitado, o quizá un alumbramiento prolongado con el uso de fórceps, entonces están indicados los remedios generales para shock y daño en la cabeza, preferentemente en alta potencia. Estos remedios incluyen el
Arnica, Helleborus y *Veratrum Alb*. Durante los últimos meses del
embarazo, si hay una historia previa de pérdida o amenaza de
aborto, o el funcionamiento del útero es impredecible, quizá
por dolor o sangrado durante los primeros meses, entonces la
homeopatía puede ayudar a estabilizar el útero y el embarazo,
reforzando y construyendo un tono uterino normal antes del
alumbramiento. En particular, los remedios como el *Caulophyllum* son muy valiosos para propiciar un embarazo a término y

un alumbramiento más fácil y sin problemas. La niñez es un época de crecimiento y cambio rápido increíble. El bebé casi desvalido nace con un instinto poderoso de mamar y es totalmente dependiente de la madre para obtener calor, sustento y supervivencia. A través de un proceso rápido de crecimiento mental y físico emerge el niño cada vez más independiente. A partir de un bulto compacto inicial de reflejos y necesidades fisiológicas, el infante tiene cada vez más control y coordinación de sus músculos y es capaz de expresar sus sentimientos, necesidades y personalidad emergente. Después de unos pocos meses habitualmente ha aprendido a influir sobre su ambiente, cambiando de ser un recipiente pasivo casi totalmente, a ser una persona capaz de expresar sus propias demandas con fuerza creciente y plenitud de carácter e individualidad. Estas etapas tempranas de crecimiento generalmente son sutiles y poco notables, y las diversas fases del proceso se combinan imperceptiblemente a medida que pasan las semanas.

Algunos problemas de la niñez

ALIMENTACIÓN: A menudo el joven infante tiende a mamar demasiado rápido, lo que lo hace susceptible a tener gases, cólico y vómito sin darse cuenta que este mamar compulsivo no es el modo más efectivo de satisfacer sus necesidades. Naturalmente, sobreviene el hambre otra vez con una tendencia a mamar todavía más aprisa Este reflejo excesivamente poderoso de mamar y los síntomas recurrentes que tienden a presentarse se pueden contrarrestar de una manera directa haciendo que el niño elimine el aire, que coma más despacio y administrando unos cuantos gránulos de *Nux Vomica* o *Chamomilla*. Esta última está especialmente indicada cuando el niño parece estar malhumorado o irritable.

El niño mama débilmente y no prospera, y tampoco toma el pecho o la mamila con fuerza. En estos casos *China 6c* o *Ar-*

nica 6c ayudan frecuentemente. Algunos niños que se alimentan con botella son alérgicos a la leche de vaca y, en un principio, vomitan la comida como proyectil, como disparo de cañón. En estos casos unos pocos gránulos de *Aethusa 30c* alivian los síntomas, y si se cambia a una de las leches en polvo de patente, generalmente se acaba el problema.

SALPULLIDO POR LOS PAÑALES: El mejor tratamiento se logra manteniendo las partes afectadas secas y limpias, con frecuentes cambios de pañales, evitando los detergentes con enzimas cuando se lavan y siempre enjuagando los pañales varias veces después de lavarlos. Aplique una crema local suavizante como *Calendula* o *Hypercal,* y unos pocos gránulos de *Sulphur, Rhus Tox.* o *Merc. Sol.* Esta última está indicada cuando el área está más bien infectada y no solamente roja e irritada.

DENTICIÓN: Éste es otro de los problemas más comunes que se presentan con llanto, encías adoloridas y el niño está irritable e intranquilo. Generalmente los síntomas responden rápida y dramáticamente a la *Chamomilla* cuando hay un marcado llanto con enojo, que se acentúa si se deja de cargar al bebé. Otro remedio útil cuando hay dolor fuerte e insomnio con inquietud es la *Coffea*, mientras que el *Aconito* y la *Belladona* también se pueden usar; todo depende del cuadro sintomático.

ACCIDENTES MENORES: A medida que el niño crece y explora, las caídas, rasguños, astillas y dedos machucados son parte de la trama dolorosa de una niñez atareada y desinhibida. Es aquí donde la homeopatía es de enorme beneficio rápido y práctico para las emergencias cotidianas del hogar con un niño inquieto y sano. Una parte importante de la paternidad y la maternidad es la de calmar, anticipar y proteger al niño atareado, sin ser demasiado protector o controlador. Los problemas que requieren primeros auxilios se dan en todas las familias y su tratamiento es básicamente directo. Una cortada profunda puede necesitar sutura en el servicio de urgencias del hospital; y cualquier cuerpo extraño como vidrio, metal, astilla o basura deben extraerse antes de que el tratamiento sea efectivo.

QUEMADURAS Y ESCALDADURAS: Es mejor tratar éstas previniéndolas y anticipándose al niño, conociendo su temperamento y tomando las medidas necesarias para prevenir accidentes, particularmente cuando se sabe que el niño tiende a accidentarse. Es esencial tener una pantalla de chimenea, y para un niño hiperactivo será necesario un lugar para jugar, enrejado. Esto no siempre es imperativo, ni debe provocar un trauma psicológico, si se maneja con cuidado y sensibilidad. Tanto el *Causticum* como el *Cantharis* son remedios importantes y útiles para el tratamiento de quemaduras, pero en el caso de que sean graves, el niño debe ser hospitalizado inmediatamente.

TOS Y RESFRIADOS: Estas infecciones son comunes en la niñez y se pueden complicar con dolor de garganta y catarro. Cuando son serias y recurrentes estas dolencias generalmente responden bien a la *Drosera,* en especial cuando se asocian con náusea y mareo. Cuando son muy agudas, tanto la *Nux Vomica* como el *Arsenicum* generalmente alivian los peores síntomas del resfriado común, mientras que la *Bryonia* ayuda cuando se presenta una tos seca e irritante.

INFECCIÓN EN LOS OÍDOS: Las infecciones agudas y dolorosas del oído medio son muy frecuentes en la niñez y pueden estar asociadas con las amígdalas inflamadas y dolores de garganta recurrentes. Las amígdalas no deben operarse a menos que sea absolutamente necesario por estar seriamente infectadas y que no hayan respondido a un curso de tratamiento homeopático. Generalmente es inconveniente y miope quitar una de las más importantes barreras de la naturaleza contra la infección a menos que sea inevitable. En la mayoría de los casos de infecciones agudas y dolorosas del oído medio, se logra una respuesta rápida con *Pulsatilla 30c* o *Belladona 30c*. El *Aconito* o la *Chamomilla* pueden ser necesarios como agregado en algunos casos, dependiendo de los síntomas, el cuadro general y el estado del paciente.

DOLORES DE CABEZA: En los niños pequeños, con frecuencia éstos son signos de ansiedad, esfuerzo o presión; mala luz al estar trabajando, o fatiga y frío. A veces son el primer signo de una enfermedad infecciosa como sarampión o resfriado. En general es mejor enfrentarlos con ligereza, sin demasiado alboroto o ansiedad, pero si son severos, recurrentes e incapacitantes, se requiere una investigación exhaustiva de sus causas, especialmente si se vuelven más frecuentes.

DIGESTIÓN: Muchos niños sufren de trastornos digestivos, ya sea por comer demasiado, por una infección o quizá porque son sensibles a cosas como la fruta demasiado madura o los helados. Para estos casos deben tomarse en cuenta el *Phosphorus*, *Arsenicum*, *Podophyllum* y *Nux Vomica* y éstos deben formar parte de los remedios de emergencia para los días de fiesta. Algunos niños son comelones compulsivos, lo cual les provoca distintos problemas digestivos y en estos casos están indicados remedios como la *Calcarea*, *Lycopodium* y *Pulsatilla*, mientras que la *Thuja* se puede escoger como remedio para una alergia a las cebollas.

DIARREA: Éste no es un problema generalmente severo ni duradero, excepto en el caso del pequeño bebé cuando puede ocurrir que sobrevenga una deshidratación o una excesiva pérdida de líquidos. Si se torna grave o prolongada, será necesaria y urgente la hospitalización. El *Ácido Fosfórico*, el *Podophyllum*, *Arsenicum* o *China* a menudo son curativos, dependiendo del tipo y severidad. La sangre en las evacuaciones puede indicar colitis, en cuyo caso es mejor consultar al doctor, más que tratarlo los padres, porque puede haber riesgo de que se complique y agrave.

ESTREÑIMIENTO: Éste no es muy común en la niñez excepto en el caso de una condición febril, cuando el niño tiene temperatura alta o cuando hay deshidratación debida a una diarrea agotadora y prolongada o vómito. Generalmente responde bien a la *Bryonia* o *Nux Vomica*, con una dieta bien planeada que contenga suficiente fibra para ayudar a mover el intestino. La alumina puede ser necesaria cuando hay una sensibilidad al aluminio, generalmente el de los utensilios de cocina. A menudo en estos casos, el estreñimiento está asociado a un eczema y comezón en los ojos. Para curar efectivamente el estreñimiento generalmente es efectivo cambiar los utensilios de cocina de aluminio a acero inoxidable o peltre.

OBESIDAD: Lo mejor es evitarla poniendo atención a la dieta y con ejercicio. En algunos niños puede haber un desbalance hormonal subyacente y entonces los remedios como *Natrum Mur.*, *Thyroidinum*, *Calcarea* y *Pulsatilla* pueden ayudar si se combinan con una dieta que controle las calorías, y poniendo atención a cualquier factor emocional subyacente. Un niño inseguro emocionalmente a menudo come para adquirir seguridad, y para confortarse cuando está presionado, ya sea en la escuela o la casa. De hecho, toda la familia puede ser obesa y estar comiendo demasiado del tipo equivocado de dieta. Si el niño con sobrepeso es retraído, excesivamente tímido y con falta de confianza en sí mismo, puede requerir ayuda psicológica de un experto para corregir los temores subyacentes.

La dieta básica debe ser tan natural y poco procesada como sea posible (más que tratarse de alimentos de lata), y preferentemente contener alimentos poco cocidos. Deben estimularse las comidas que alimenten y provean energía y vitaminas naturales sin afectar el sentido del gusto, mientras que las pesadas, demasiado sazonadas y sobrecocidas se deben evitar. Debe evitarse a toda costa sobrealimentar a un niño con tendencia a la obesidad y generalmente éste avisará a los padres cuando ha comido suficiente. Generalmente es buena idea dejar que el niño juzgue cuánto debe comer y estimular su apetito con platillos variados, nutritivos y atractivos. Todos somos susceptibles a los valores sugeridos sobre lo que debemos comer y cuánto, pero hay que estimular las papilas gustativas y la imaginación del niño sano y permitirle discriminar al proveerle de un espectro mixto y amplio de alimentos; generalmente para el niño activo la mejor regla es "poco y seguido".

PROBLEMAS DE COMPORTAMIENTO: Si éstos ocurren, es mejor discutir la situación con el niño y, si es necesario, con la escuela y el maestro involucrado. A veces un remedio como el *Arg. Nit.* ayuda y alivia un problema nervioso, ya sea un dolor de cabeza por nervios o un dolor de estómago de "lunes en la mañana", especialmente cuando se asocia con un sentimiento de miedo o terror. Otros remedios que ayudan son el *Lycopodium* cuando el miedo es marcado, quizá antes de un cambio de escuela o un examen o prueba, mientras que la *Silicea* o *Natrum Mur.* pueden ser necesarias para el tipo de niño que dramatiza. Puede ser necesario un cambio de escuela o un tiempo de descanso fuera de la escuela en algunos casos serios, pero usualmente esto es mejor discutirlo y arreglarlo con la escuela si es posible, mientras que se da un remedio de acuerdo con el marco individual. Un periodo de ayuda psiquiátrica puede ser requerido con el tratamiento, cuando el problema no se puede resolver con apoyo y discusión, o cuando el problema ha sido descuidado por largo tiempo.

En el caso de un niño nervioso y sensible, quizá bajo presión, se puede expresar la ansiedad a través del desarrollo de ciertos desórdenes físicos. El tipo de problema que se ve más comúnmente es asma, eczema, quizá volver a orinarse en la cama, o a veces una ligera fiebre recurrente. En otros puede haber un desorden de comportamiento o berrinches. Usualmente hay una causa visible y el niño se está sintiendo inseguro y poco atendido, como por ejemplo durante el embarazo o después del nacimiento de un nuevo bebé. Los remedios homeopáticos psicológicos que se han discutido antes pueden ser de utilidad generalmente y a menudo los padres resuelven el problema, siempre y cuando el niño reciba la atención adecuada y se le estimule a expresar verbalmente sus temores y sacar a la superficie lo que está causando la amenaza emocional. En el caso de un embarazo o un nuevo bebé, se le debe permitir compartir, y sentirse más involucrado con el nuevo bebé.

A medida que se desarrollan, los niños necesitan suficientes juguetes fuertes, bien hechos y no tóxicos, para estimular su interés, absorber su atención, desarrollar habilidades y facilitar el nuevo aprendizaje y la imaginación.

Durante las semanas iniciales, cuando empiezan a gatear y caminar, algunos niños no son capaces de enfrentarse a las escaleras y será necesaria una reja de seguridad hasta que se haya desarrollado un buen sentido de equilibrio y coordinación. Generalmente no es recomendable restringir o reprimir al niño que está creciendo, pero por seguridad esto puede ser necesario en los primeros meses cuando el niño parece ser propenso a los accidentes. Las medicinas peligrosas, productos químicos y juguetes deberán estar guardados con llave, sobre todo cuando hay un niño hiperactivo aparentemente insensato. Muchos niños son perfectamente sensatos y se les puede dejar en la casa o cocina con tranquilidad, mientras que otros parece que buscan el peligro, no importa qué hagan o dónde estén. El *Kali. Carb.* ayuda al niño que parece naturalmente torpe y desmañado, siempre con problemas y pequeños accidentes. Cuando la causa subyacente es la necesidad de llamar la atención, entonces está indicado el *Lycopodium*. El niño que requiere *Calcarea* a menudo es lento, desmañado, generalmente desequilibrado e impreparado y simplemente no puede reaccionar suficientemente rápido. En general los mejores tratamientos son la prevención para anticipar y evitar, el uso del remedio indicado cuando es necesario fortificar al niño. Al mismo tiempo, el deporte, los juegos y actividades físicas pueden promoverse para estimular el sentido de juicio, equilibrio, percepción y conciencia de la posición del cuerpo en el espacio y en relación con otros. La práctica y el estímulo contribuyen mucho para solucionar este tipo de problema que, si no se atiende, puede ser un obstáculo para el niño en la escuela y en su relación con otros niños.

Durante esta etapa de crecimiento rápido, cuando brotan las necesidades físicas y la personalidad, es psicológicamente esencial el contacto con otros niños y adultos. No es exagerado enfatizar la importancia del contacto físico entre los padres y el niño. Es importante abrazarse, tocarse y acariciarse y es esencial para el crecimiento psicológico normal del niño. Su presencia o ausencia puede ser un aspecto para diagnosticar y prescribir en homeopatía. El niño que requiere el *Phosphorus* como remedio constitucional básico, tiene una gran necesidad de que se le abrace, se le toque y se le acaricie, mientras que la *Sepia* está indicada para el niño a quien no le gusta que lo abracen o que está incapacitado temperamentalmente para expresarse de alguna manera física.

La *Sepia* también puede ayudar a la joven madre que no puede desarrollar fuertes sentimientos maternales de afecto hacia su nuevo bebé y que se deprime por ello. El infante muy pequeño no puede verbalizar sus sentimientos y requiere contacto físico con el fin de sentirse integrado como persona, para construir bases y ser capaz de intimar y ser afectuoso como adulto en años posteriores. El niño que ha sido dañado al nacer o que ha tenido ciertas deficiencias mentales anormales, o que ha sido privado severamente, puede ser anormalmente encimoso y físicamente afectuoso, muchas veces con extraños, y de manera excesiva y poco apropiada. Este afecto excesivo y fuera de lugar es un signo de incapacidad subyacente de discriminar así como un modo de demostrar la necesidad de afecto y cercanía física.

DESCANSO Y SUEÑO: Éstos son necesarios para todos nosotros, y un niño pequeño necesita el máximo de sueño e idealmente un tiempo de quietud justo antes de la hora de acostarse, más que el estímulo psicológico y físico de un programa de televisión, particularmente si es tarde. Es importante que los padres estén un rato juntos a solas en la noche sin la constante presencia exigente de un niño; así como el niño que se desarrolla necesita aprender a estar separado de los padres durante algún momento del día, ya sea jugando en la escuela o con otros niños de su edad. Cuando hay un problema de sueño, pueden ayudar tanto la *Coffea* como el *Lycopodium*.

EJERCICIO: Generalmente la actividad física no requiere estímulo y es una manera importante de que un niño aprenda sobre sí mismo y su familia y, a partir de ellos, sobre el mundo en general. Buscará ver qué tan lejos puede llegar y cuáles son las barreras de la tolerancia paterna o materna, y al mismo tiempo aprenderá cómo responden los adultos a sus necesidades crecientes, y encontrará patrones con qué identificarse o sobre los que modelará su comportamiento.

Excepcionalmente, hay niños que pueden ser excesivamente hiperactivos. Cuando esto parezca demasiado, al punto de que no pueda controlarse dentro de los límites de la familia, debe buscarse ayuda especializada para investigar las posibles causas y métodos de tratamiento.

Todos necesitamos nuestro propio espacio o habitación, y esto también es cierto para el infante, que debe tener su propio espacio o cuarto de juegos tan luego como ha pasado la etapa de total dependencia. Amar no quiere decir sobreproteger y el niño muy pronto aprenderá a expresar sus gustos básicos y su personalidad a su manera natural e individual.

Escuchar y responder al niño que va creciendo ayuda a construir su experiencia, y es su manera especial de conocer el mundo que lo rodea, viendo cómo otros entienden y responden a sus llamados, mensajes y señales. Ver al niño como una persona joven, inexperto en casi todo, pero con un enorme potencial para aprender y desarrollarse, y de ninguna manera como un ser inferior, nos ayudará como adultos a poner en perspectiva las preguntas aparentemente sin fin y sin sentido que continuamente se hacen.

Hasta cierto punto, todos somos relativamente inexpertos en casi todos los campos e inmaduros aunque esperanzadoramente esto disminuye en la medida en que nos hacemos mayores.

Todos los niños tienen una necesidad general y básica de que se les mire y se les escuche, quieren llamar la atención y tener contacto con ambos padres y con otros niños. Esto es simplemente una parte básica del desarrollo normal y no una indulgencia o un exceso, por eso es tan importante que la pareja preste toda su atención y respuesta al infante y al niño, aunque no necesariamente esté de acuerdo o apruebe todo lo que hace. El ser ruidoso y travieso es solamente una de las maneras en que el niño inteligente y normal puede llamar la atención, y la que usa para provocar y ser notado.

El aprender es curiosidad, y el niño sano aprende preguntando. A menudo el niño contestará sus propias preguntas, y lo que necesita es atención, admiración y, sobre todo, apoyo, respuesta y retroalimentación. Éste es el alimento básico para que aprenda y se desarrolle y para su futuro crecimiento y madurez.

Algunos casos típicos

Una madre me trajo a su niña de ocho años porque era débil y faltaba mucho a la escuela por tos y resfriados recurrentes. Tenía los tobillos tan débiles que se le doblaban constantemente y estaba muy pálida, no dormía bien porque tenía sueños perturbadores —a veces caminaba o gritaba dormida. Era muy difícil despertarla en la mañana por las malas noches que pasaba. Se había desarrollado muy lentamente cuando era más pequeña; particularmente le habían tardado en salir los dientes.

Sus manos estaban frías, húmedas y pegajosas y con frecuencia su frente se cubría de sudor en la noche. Generalmente estaba de buen humor, pero era más bien nerviosa e insegura.

Le dimos *Calcarea 1OM* y un mes después hubo una evidente mejoría, con menos nerviosismo. Estaba durmiendo mejor y la palidez ya no era tan marcada.

* * *

Atendí a un niño de tres años porque tenía resfriados recurrentes e infecciones de la nariz y garganta cada tres semanas, desde que la familia había venido a Inglaterra de Australia como dos años antes. El flujo nasal era amarillo o verdoso y tosía frecuentemente durante el día, pero generalmente dormía bien. Era un niño hiperactivo, incapaz de quedarse quieto, extremadamente nervioso y aprensivo. Era delgado, pálido, tenso, no sudaba mucho y en general bastante pulcro. Parecía necesitar muchas caricias y atención, y pocas veces dejó de mirarme.

41

La madre lo describió como irritable y a menudo testarudo y desobediente, más bien voluntarioso y muy pulcro, y rara vez llorón. No sentía mucho el frío ni era muy sediento.

Le dimos *Phosphorus 1OM* y no lo volvimos a ver hasta siete meses después, cuando la madre reportó que había mejorado considerablemente y era más manejable, pero como había habido una leve repetición de los síntomas, solicitaba otra dosis de *Phosphorus*, que le había ayudado tanto.

* * *

Me trajeron a una niña de ocho años con una historia de seis años de eczema, principalmente en las piernas y en los pliegues flexores de las rodillas, que le daba mucha comezón e irritación en la noche.

Un año después de aparecido el eczema le dio asma, aunque ésta había sido leve durante los dos últimos años; sin embargo, ahora le había dado fiebre del heno, en esta época cuando estaba mejor de su respiración asmática.

Era una niña encantadora, con el pelo rubio, piel clara y ojos azules, un poco tímida y generalmente un poco solitaria con pocos amigos. A veces era desafiante y testaruda, pero en general era de trato fácil, serena, más bien quieta y plácida.

Otro de sus problemas era que se mareaba siempre que viajaba en la parte delantera del auto.

No toleraba el calor, o sentarse bajo el sol directo, generalmente prefería el clima fresco y nunca se quejaba en el invierno. Casi todos sus síntomas se agravaban en verano. Lloraba fácilmente y era muy emotiva —no toleraba las grasas, las cuales empeoraban el problema de su piel. Le dimos *Pulsatilla*, y al verla dos meses después, la madre reportó que estaba mucho menos irritable y que el eczema estaba empezando a ceder.

* * *

Otro caso de eczema fue el de un niño de cinco años con un historial de eczema desde la edad de seis meses, y con un problema de asma a la edad de dieciocho meses, después de haber tenido pulmonía.

El niño era pequeño, tenso, sonrosado, desaliñado, inquieto y estaba cubierto con una áspera erupción eczematosa y seca en ambos brazos, codos y manos, en la ingle, el bajo abdomen y atrás de las rodillas.

Tenía mucha comezón en la piel, que empeoraba en la noche con el calor de la cama. Casi nunca lloraba, le gustaba todo lo que se le daba de comer, especialmente la mantequilla y las grasas; tomaba bastante sal y tenía debilidad por los chocolates y los pasteles. Generalmente el agua agravaba el problema.

Le dimos *Sulphur 1OM*. En la siguiente consulta la madre reportó una ligera mejoría pero dijo que todavía tenía mucha comezón e irritación. Le recetamos *Psorinum 6* y un poco de crema *Hypercal* para aplicación local.

En la siguiente visita, la piel estaba más suave y menos seca y las piernas estaban casi completamente limpias de la erupción.

* * *

Unos padres me trajeron a un infante de dieciocho meses porque no había comido durante dos semanas, negándose a ser alimentado y rechazando todo lo que la madre le ofrecía. Sus evacuaciones eran verdes, sueltas y suaves. Le estaban saliendo los dientes, gritaba casi todo el tiempo, era generalmente irritable y malhumorado y se despertaba en la noche gritando.

Usualmente era un niño feliz, pero durante las últimas dos semanas había estado quejándose, pidiendo que lo mimaran y tenía una ligera tos seca.

Le recetamos *Chamomilla 200* en tres dosis, y obtuvimos una respuesta inmediata: se calmó y durmió en el consultorio. Cuarenta y ocho horas después el padre me llamó para decirme que estaba completamente mejorado, durmiendo y comiendo normalmente, y que no había vuelto a gritar de coraje e irritación.

* * *

Vi a un bebé de diez semanas que me trajeron porque sospechaban que la articulación de la cadera tenía una anormalidad congénita. La articulación crepitaba y generalmente estaba muy suelta y móvil. Con rayos X comprobamos que no había anormalidad. Le dimos *Calcarea 1OM*, en una dosis única.

Dos meses después la madre reportó que la cadera estaba mejorando pero que el bebé vomitaba después de comer y que el vómito era proyectado con mucha fuerza.

Le administramos *Aethusa* en una dosis única y, cuando lo vimos después de dos meses, los síntomas de la cadera habían desaparecido completamente y el bebé estaba tomando sus alimentos perfectamente normal, aumentaba de peso y ya no vomitaba.

* * *

Vi a una niña de dos años y medio porque tenía una tos seca, irritante, de ladrido, que empeoraba en la noche y no se había compuesto después de más o menos un mes. La tos venía en accesos que eran tan severos que la niña casi vomitaba. La *Drosera 6* en la noche mejoró la tos marcadamente, pero no la curó completamente.

La madre reportó que respiraba por la boca y que a menudo tenía un ojo ligeramente infectado en la mañana al despertar y que lloraba mucho.

Toleraba bien el calor y había tenido una infección en el oído unos meses antes. Generalmente tomaba mucha sal con la comida y sus ojos estaban siempre lagrimeantes, particularmente cuando estaba afuera en un día con viento.

Le dimos *Natrum Mur.*, con lo que obtuvimos una respuesta positiva inmediata.

* * *

Tuve otro caso de una niña de cinco años con un historial de infecciones recurrentes del oído medio después de haber tenido sarampión el verano anterior. Inmediatamente después se quejó de sordera —y un poco después tuvo varios ataques agudos de dolor— siempre en el oído derecho. El especialista que había visto le diagnosticó sordera tanto en las frecuencias de altos como de bajos decibeles.

Era una niña más bien cálida, un poco rolliza, con las manos húmedas y a menudo con la cabeza y frente húmedas durante la noche. Era un poco más lenta que los otros niños y bastante desaliñada, temerosa, tímida y quieta, ansiosa ante las cosas nuevas, a menudo bastante inquieta, manoseando su ropa. Le gustaban los huevos, que eran su comida favorita. Prefería el clima cálido y podía tomar el sol.

Le recetamos *Calcarea 1OM* y en la siguiente consulta tenía tos; se estaba despertando a las 4:30 a.m. con una tos dura y seca. Le dimos *Kali. Bich. 6* lo que provocó una mejoría inmediata. Su condición general cambió marcadamente, ya no tuvo los ataques de otitis media y cuando se le hizo ver a un especialista, cuatro meses después, ambos tímpanos estaban normales así como las pruebas auditivas y los audiogramas.

* * *

Vi a una niña de cinco años con un historial de tres años de ataques de irritación estomacal, que duraban de cuatro a seis semanas, durante los cuales no tenía interés en comer y se enfermaba en la noche entre las 10 p.m. y la media noche, después de un día quieto y flojo, asociado con dolor de estómago.

Siempre dormía mal y le costaba trabajo dormirse desde que sus padres se habían divorciado tres años antes.

No se le encontró nada anormal al hacerle un examen físico. Era una niña sensible, abierta y amigable, pero muy nerviosa y ansiosa en general. No lloraba mucho y necesitaba muchos mimos y apoyo. Tendía a ser sedienta, le gustaba mucho la sal, las grasas y la crema, y no toleraba muy bien el calor; generalmente se sentía mejor a la orilla del mar.

Recetamos *Natrum Mur. 1OM.* Se compuso y estuvo sin síntomas por casi un año, cuando se repitió el remedio en la misma potencia, y no hubo recurrencia de los síntomas en los subsiguientes quince meses, cuando la vimos por última vez.

* * *

Hubo un niño a quien vi a la edad de ocho años con un historial de eczema que le empezó a los dos días de nacido, en las mejillas y el pecho, seguido de asma a los dos años y medio; se orinaba en la cama en la noche desde la edad de cinco años, y se le había tratado con el método del cojinete y zumbador sin haber obtenido resultados. El problema había comenzado durante el embarazo de la madre con un hermano menor.

Era un niño vivaz, listo y afectuoso, popular y bueno para los deportes, bastante sediento y le gustaban las bebidas frías. Generalmente prefería el clima frío al caluroso.

Cuando lo vi por primera vez tenía un ligero salpullido, eczematoso y pruritoso detrás de las rodillas y a veces detrás de las orejas; en el pecho tenía un ligero ruido siseante silbante. Era alérgico a los huevos y al chocolate.

Generalmente tenía la piel muy seca, con una marcada tendencia a sudar alrededor de la cabeza por la noche.

Recetamos *Phosphorus 10M* y tres semanas después la madre reportó una marcada mejoría en el pecho y en sus síntomas de catarro.

Seguimos con *Cal. Sulph.* cuando disminuyó inmediatamente el salpullido sin comezón y estuvo mucho más contento.

Estuvo bien durante varios meses, hasta que le volvió un poco de respiración asmática en el pecho durante el calor del verano. Repetimos el *Phosphorus* y esta vez duró bastante más tiempo sin asma.

Fue mejorando el problema de orinarse en la cama aunque más lentamente, y disminuyó en la medida en que progresó el tratamiento.

Amigdalitis

Definición	Infección de las anginas o amígdalas.
Causas	Infección de la garganta o de las vías respiratorias superiores.
Síntomas	Dolor, inflamación de la garganta, ardor, fiebre, dolor al tragar, los ganglios cervicales están inflamados y sensibles, dolor de oídos.
Tratamiento	*Belladona*; *Merc. Sol.*; *Hepar Sulph.*; *Baryta Carb.*; *Lachesis*; *Mercurius*; *Calc. Phos.*
Belladona	Ataques muy agudos con enrojecimiento e hinchazón del área de las anginas, usualmente de lateralidad derecha, fiebre. El dolor es severo. El cuello está habitualmente rígido e inflamado.
Merc. Sol.	Tiene las amígdalas severamente infectadas, con la garganta adolorida y seca, a menudo con secreción pustular que puede desembocar en supuración y absceso; usualmente el dolor empeora al tragar o hablar.
Hepar Sulph.	Hay una infección purulenta con una sensación de tener una astilla en la garganta, alta temperatura y escalofrío, con la formación de un absceso.

Baryta Carb.	Para casos moderados recurrentes que a menudo se dan por haber estado expuesto al frío. Las anginas están muy grandes y los ganglios linfáticos cervicales están considerablemente crecidos y adoloridos. Es la angina derecha la que a menudo está afectada y el niño típico de *Baryta* es algo tímido y retrasado en la escuela.
Lachesis	Un remedio para cuando está afectada la angina izquierda y ésta está hinchada y azul. El dolor empeora al tragar y tomar bebidas calientes.
Mercurius	Otro remedio para cuando hay una infección purulenta severa, a menudo con úlceras, aliento fétido, dolor pinchante de la garganta y sudor marcado con fiebre.
Calc. Phos.	Para casos crónicos en la constitución de *Calcarea*. Las anginas están grandes, pálidas, inflamadas. Puede afectar la capacidad auditiva.

Asma

Definición

Usualmente es una condición aguda espasmódica caracterizada por ataques de respiración difícil, estentórea y opresión en el pecho. Puede volverse crónica.

Causas

Generalmente desconocidas; a menudo se dice que son alérgicas, de origen emocional o familiar. No hay causas sólidas, pero mejora con cambio de ambiente.

Síntomas

Opresión en el pecho, ansiedad, fatiga, fase expiratoria audible forzada, con respiración asmática de tono agudo. Sudor y esputo de apariencia gris, amarilla o blanca.

Tratamiento

Phosphorus; Kali. Carb.; Medorrhinum; Arsenicum; Cuprum Arsen.; Cuprum Aceticum; Nux Vomica; Sulphur; Aconito; Ipecacuanha.

Phosphorus

Uno de los mejores remedios y de los más confiables para la respiración asmática jadeante y ruidosa, opresión y tos, en el caso de una persona alta, delgada y de pecho estrecho. Estas personas casi siempre son ansiosas y necesitan mucho apoyo y atención.

Kali. Carb.

Una respiración jadeante severa y corta, que empeora al empezar la noche y en la mañana; empeora con el polvo, la calefacción y usualmente se asocia con ansiedad y debilidad.

Medorrhinum	Hay una tos seca, respiración corta, que empeora al acostarse y mejora al ponerse de rodillas con la cabeza hacia abajo, o acostándose sobre el estómago. Es útil en los casos difíciles, crónicos y recurrentes. No se debe repetir durante un periodo de seis meses después de la prescripción inicial.
Arsenicum	Respiración corta y ansiosa, que empeora si se acuesta; cara pálida, calor ardiente en el pecho, sudor frío, postración.
Cuprum Arsen.	Hay severa cortedad de la respiración, una sensación de opresión y peso sobre el pecho, y a menudo dolor bajo el omóplato izquierdo. Por lo general el paciente está helado y cubierto de sudor.
Cuprum Aceticum	Hay una tos muy seca y penosa, junto con respiración corta, debilidad e inquietud. Todos los síntomas empeoran justo después de la media noche y si se sienta enhiesto.
Nux Vomica	Espasmo de los bronquios, irritabilidad; la lengua tiene una cubierta de color amarillo; náusea, flatulencia, estreñimiento.
Sulphur	Para casos crónicos, con tos recurrente, con expectoración de moco espeso y maloliente, y a menudo no responde a los remedios anteriores bien indicados.

Aconito	Para un individuo pletórico, con ansiedad, disnea, que ha estado expuesto al viento y al frío, o que se ha enfriado.
Ipecacuanha	Opresión en el pecho, y tos fuerte y estentórea, sudor frío e inquietud, ansiedad, náusea.

Astillas

Definición	La presencia de un pequeño pedazo de madera o metal en la piel donde actúa como irritante y cuerpo extraño.
Causas	Uno de los contratiempos más comunes en el hogar.
Síntomas	Dolor, infección, hinchazón.
Tratamiento	*Ledum*; Loción de *Arnica*.
Loción de *Arnica*	Aplique la loción externamente.
Ledum	El remedio más útil para cualquier herida profunda, circunscrita, con infección, enrojecimiento y la formación local de pus. Muy comúnmente hay en el paciente una sensación de frío y escalofrío y un anhelo de calor.

Cólico (intestinal)

Definición	Contracción y espasmos severos del músculo circular de la pared del intestino.
Causas	Usualmente se debe a abuso en la dieta, envenenamiento por alimentos o factores emocionales en algunos temperamentos.
Síntomas	Principalmente hay dolor repentino de apretón o retortijón y es intermitente en el área umbilical, que obliga a doblarse; se mejora con presión profunda y calor.
Tratamiento	*Chamomilla*; *Nux Vomica*; *Colocynth*; *Belladona*; *Plumbum Met.*; *Bryonia*; *Ipecacuanha*; *Mag. Carb.*; *Veratum Album*; *Mag. Phos.*
Chamomilla	Retortijón, dolor pinchante, sensación desgarrante alrededor del ombligo, diarrea; mejora con calor local y por la noche, irritabilidad.
Nux Vomica	Calambres severos, faltulencia, estreñimiento, dolores espasmódicos por comer de más, mejora si se está sentado o acostado.
Colocynth	Dolores intermitentes de retortijón, con flatulencia, tenesmo y diarrea, no se puede estar quieto; cólico en el área del ombligo, que mejora con presión firme.
Belladona	Mejora si se agacha hacia adelante.

Plumbum Met.	Cólico violento umbilical, expulsión de gases; mejora si se dobla hacia adelante, estreñimiento rebelde, punzadas, cara pálida, extremidades frías.
Bryonia	Cólico fuerte, intestinos distendidos, dolores pinchantes, empeora si se mueve, por sacudidas o por tacto; calor, diarrea; se queda acostado inmóvil, con las rodillas encogidas.
Ipecacuanha	Cólico en la boca del estómago, asociado con náusea, inquietud y a menudo empeora con el mínimo movimiento.
Mag. Carb.	Hay cólico generalizado en toda el área abdominal, con diarrea, y a menudo distensión abdominal considerable y sensación de apertura o tirantez.
Veratum Alb.	El dolor es severo, que se alivia con una evacuación intestinal; todo el abdomen está adolorido y a menudo distendido, la piel fría y sudorosa.
Mag. Phos.	El cólico es severo, irradia hacia arriba, y mejora con calor aplicado localmente. Es común que se presente diarrea acuosa.

Comezón

Definición	Comezón en la piel, a menudo penosa, y que está asociada con eczema.
Causas	Alergia, eczema, desconocidas, familiar, lombrices, piojos en la cabeza.
Síntomas	Comezón intolerable, con rascado y enrojecimiento; sangrado.
Tratamiento	*Pulsatilla*; *Arsenicum*; *Sulphur*; *Merc. Sol.*; *Psorinum*.
Pulsatilla	Comezón, peor en la noche por el calor de la cama. Usualmente no tiene sed, los síntomas varían mucho y son periódicos.
Arsenicum	Útil en el niño friolento, con eczema y comezón ardiente. Es característica la sed.
Sulphur	Este remedio también es básico; y tiene ardor y comezón, enrojecimiento, usualmente asociado con eczema que empeora por agua.
Merc. Sol.	Particularmente útil para una condición crónica de la piel infectada, con erupciones recurrentes, que supuran y que son crónicamente dolorosas e irritantes.
Psorinum	La piel se ve grasosa y algo sucia. Éste es uno de los mejores remedios para la comezón en los dobleces flexores de los codos y las rodillas.

Cuerpo extraño en el oído

Definición	La presencia de cualquier cuerpo extraño en el pasaje del oído externo, como un chícharo, una cuenta, un insecto.
Causas	No específicas, y parte de la curiosidad infantil sobre el cuerpo.
Síntomas	Dolor, irritación, sordera, cerilla.
Tratamiento	Sacar con torunda de algodón o de manera suave con loción de *Arnica*.
Loción de *Arnica*	La aplicación local reduce hinchazón y la inflamación que provoca la irritación de los tejidos, y facilita sacar el objeto que está molestando, al hacer que se abra el orificio. Cuando hay magulladuras o inflamación, el *Arnica* también deberá tomarse internamente a la sexta potencia durante unos días.

Cuerpo extraño en el ojo

Definición   La presencia de cualquier sustancia extraña en el ojo, generalmente bajo el párpado, como un mosco o arena.

Causas   No específicas y comunes, falta de precaución.

Síntomas   Dolor, irritación, conjuntivitis, lagrimeo del ojo.

Tratamiento   Loción de *Arnica*; *Arnica*.

Loción de *Arnica*   Una débil solución externa después de sacar el cuerpo extraño.

Arnica   La administración interna de *Arnica* durante unos días ayuda a reducir cualquier inflamación o magulladura de tejidos delicados, y reduce al mínimo cualquier reacción inflamatoria, sin evitar la reacción normal de curación del cuerpo a la irritación. También ayuda a prevenir cualquier infección en esta área tan delicada.

Dentición

Definición	Cuando el niño pequeño tiene dolor, irritabilidad y molestia debido a la erupción de los primeros dientes.
Causas	El proceso natural de la dentición.
Síntomas	Encías hinchadas y sensibles, aumento de la salivación, fiebre, irritación, llanto, inquietud, interrupción del sueño.
Tratamiento	*Chamomilla*; *Aconito*; *Colocynth*; *Belladona*; *Nux Vomica*; *Calcarea*.
Chamomilla	El niño está irritable, tiene una mejilla pálida y la otra sonrojada, diarrea.
Aconito	Si hay fiebre y es aguda.
Colocynth	Si hay cólico.
Belladona	Irritabilidad, mejillas sonrojadas, convulsiones.
Nux Vomica	Si hay estreñimiento.
Calcarea	Dentición retardada, diarrea mocosa y babosa.

Diarrea

Definición	Evacuaciones frecuentes y líquidas, a menudo las deposiciones son ofensivas y no están formadas, a veces contienen moco y sangre.
Causas	Haber comido de más, infección, enfriamiento, excitación.
Síntomas	Repetidas evacuaciones sueltas, líquidas o muy suaves, varían en color y olor. A menudo se asocian con pérdida del apetito, cólico, náusea, sudor, lengua sucia, debilidad.
Tratamiento	*Pulsatilla*; *Arsenicum*; *Ipecacuanha*; *China*; *Ácido Fosfórico*; *Podophyllum*.
Pulsatilla	Evacuaciones cambiantes y variables, empeoran al empezar la noche, después de comer alimentos grasosos y con almidón. Humor lloroso.
Arsenicum	Diarrea severa, ardiente, acuosa, con mucho moco, y a menudo verde o pálida de color. Casi siempre se asocia con vómito, colapso y frialdad.
Ipecacuanha	Usualmente las evacuaciones son fermentadas, verdes o amarillas y despiden un olor ofensivo. A menudo peor en otoño. Es común el cólico.
China	Hay una diarrea pálida, mocosa y babosa, que a menudo empeora después de comer fruta, peor en la noche. Puede haber una evacuación fecal involuntaria.

Ácido Fosfórico

Diarrea crónica, sin dolor, evacuaciones babosas amarillo pálido, a menudo eliminadas de manera involuntaria, particularmente cuando se está en movimiento. Éste es un remedio excelente para la diarrea aguda sin dolor.

Podophyllum

Uno de los principales remedios para diarrea severa crónica, que generalmente empeora temprano en la mañana. La evacuación es acuosa, informe, contiene moco, es verde y se asocia con debilidad y cólico.

Dolor de garganta

Definición

Dolor e inflamación de la garganta, de origen infeccioso.

Causas

Infección, anemia, traumatismo, sarampión.

Síntomas

Dolor, enrojecimiento, dificultad al tragar, a menudo se asocia con fiebre.

Tratamiento

Belladona; *Mercurius*; *Aconito*; *Baryta Carb.*; *Dulcamara*; *Hepar Sulph.*; *Merc. Sol.*; *Lachesis.*

Belladona

Dolor de cabeza, lengua roja brillante, con apariencia de fresa, delirio con pupilas dilatadas; la garganta arde como fuego, se siente raída, hay dolor al tragar, no hay sed porque los líquidos causan espasmo.

Mercurius

La garganta está caliente y seca, se dificulta hablar y toda el área está inflamada, infectada e hinchada. Duele al tragar y la temperatura es elevada.

Aconito

Resequedad, aspereza, ardor, ronquera después de estar expuesto al viento frío, alta temperatura aguda, garganta congestionada, ojos brillantes.

Baryta Carb.

Más infección de las anginas y amigdalitis, el dolor de la garganta se desarrolla lentamente, se inflaman los ganglios y hay dolor al tragar.

Dulcamara

Hay un dolor como raedura y ardor, saliva espesa y pegajosa, y se agrava con cualquier cambio de atmósfera o con el frío y la humedad.

Hepar Sulph.	Muy irritable, sensación de tener una "espina de pescado" clavada en la garganta, empeora con el frío o corriente de aire.
Merc. Sol.	Mal olor de lengua y boca, sed y salivación, lengua cubierta por una capa amarilla, la garganta se siente seca, empeora en la noche.
Lachesis	Empieza en el lado izquierdo, la garganta se ve azulosa, se pueden tragar mejor los sólidos que los líquidos, mejora tomando alimentos sólidos, pero no tolera ninguna presión en el área del cuello.

Dolor de muelas

Definición	Dolor agudo o sordo en la boca, dientes o encías, que a veces irradia a la cara, órbita y quijada opuesta.
Causas	Caries dental o formación de un absceso en la raíz.
Síntomas	Dolor sordo, a veces punzante, con inflamación de la cara y quijada.
Tratamiento	*Aconito; Chamomilla; Silicea; Plantago,* local e internamente; *Arnica; Belladona; Kreosotum; Coffea; Merc. Sol.; Staphysagria.*
Aconito	Cuando se agrava con el viento frío, mejora con agua fría, de un solo lado.
Chamomilla	Dolor severo de muelas, peor en la noche, y en una habitación caliente. La irritabilidad es muy marcada, y puede ser un factor que precipite el dolor.
Silicea	El dolor se agrava ya sea con comida caliente o fría, o aire frío. A menudo es peor en la noche y está asociado comúnmente con un absceso en la raíz o postemilla.
Plantago	Uso local e internamente. El diente está sensible al tacto. Los dientes se sienten demasiado largos.
Arnica	Para el dolor después de una tapadura o antes.
Belladona	Dolor tajante y punzante en las encías, a menudo como migraña.

Kreosotum	Aliento fétido, entreñimiento, caries.
Coffea	Es característico del dolor típico, que se alivia con agua fría.
Merc. Sol.	Dolores tajantes que irradian hacia los oídos, peor en la noche, salivación profusa.
Staphysagria	El dolor es severo, los dientes especialmente sensibles, de tal manera que el mínimo toque o aire frío provoca el dolor, especialmente en la noche. A menudo el dolor es peor después de comer, y es un dolor típico que da la sensación de jalar y romper; a menudo la mejilla está roja e hinchada.

Dolor de oído

Definición

En los niños generalmente se trata de una infección del oído medio.

Causas

Usualmente procede a una exposición al frío, pero con frecuencia la causa se desconoce.

Síntomas

Dolor fuerte, insoportable, agudo. Fiebre, sudoración, enrojecimiento, dolor de cabeza.

Tratamiento

Aconito; Belladona; Pulsatilla; Mercurius; Chamomilla; Sulphur; Merc. Sol.; Hepar Sulph.; Tintura de *Plantago.*

Aconito

Presentación aguda, dolor, fiebre, mejora con calor local.

Belladona

Dolor de cabeza, garganta irritada, dolor de oído agudo, enrojecimiento facial. Mejora con calor, no hay sed.

Pulsatilla

Dolores punzantes, variables. Catarro que sigue al sarampión. Causado por enfriamiento cuando se moja estando caliente. Lloroso, ansía que lo acompañen.

Mercurius

Los dolores son fuertes y agudos, con frecuencia con una sensación fría en el oído, y un flujo de pus o sangre. Con frecuencia la temperatura es alta y el niño suda profusamente y está inquieto.

Chamomila

Irritable, enojón y miedoso, dolores muy fuertes e insoportables. Empeora con calor local, mejora si se le carga.

Sulphur	Util para dolores recurrentes con un flujo ofensivo y sensación quemante y dolores picantes que vienen y van.
Merc. Sol.	Los dolores se extienden a los dientes, empeora en la cama caliente, dolores punzantes, ganglios inflamados.
Hepar Sulph.	Dolores punzantes, garganta irritada, friolento, irritable; empeora con el mínimo enfriamiento, con frecuencia empieza en el oído izquierdo y luego se pasa al derecho.
Tintura de *Plantago*	Usese localmente si no hay flujo en el oído.

Dolores del crecimiento

Definición

Dolores en las extremidades del niño o adolescente, que no estén asociados con un proceso de enfermedad subyacente.

Causas

Dolor en las piernas y brazos, a menudo en la noche, intermitentes, no hay fiebre. Causa desconocida.

Tratamiento

Calcarea; *Calc. Phos.*; *Ácido Fosfórico.*

Calcarea

Está indicada en el caso del niño más bien pálido, con sobrepeso, por lo común flemático, cuando hay dolores tirantes o pinchantes en las rodillas o tobillos, a menudo después de caminar. Los calambres son comunes después de cualquier periodo prolongado de estar sentado. Usualmente el niño fue lento para aprender a caminar.

Calc. Phos.

Está indicado para un niño muy delgado, que se agota con facilidad, con dolores raros en las caderas, espinillas y en las articulaciones. En general, el niño es de los que caminaron tarde.

Ácido Fosfórico

Hay una sensación de magulladura con punzadas, que empeora si camina o al despertarse. Comúnmente se asocia a debilidad en las piernas.

Eczema

Definición

Una inflamación catarral de la piel, que se caracteriza por estar roja, irritada, tiene múltiples vesículas pequeñas, secreción serosa y costras.

Causas

Desconocidas, pero a menudo hereditarias. Se asocia con asma, fiebre del heno y otros fenómenos alérgicos. El stress es un factor que lo desencadena.

Síntomas

Dolor, comezón, escozor e incomodidad.

Tratamiento

Sulphur; *Rhus Tox.*; *Psorinum*; *Graphites*; *Mezereum*.

Sulphur

Uno de los mejores remedios para la piel irritada, comezonienta, dura, rojiza, a menudo infectada. Con frecuencia el eczema se pone peor con el agua, y la irritación se agrava en la noche por el calor de la cama. También es característica una diarrea ofensiva en la mañana temprano.

Rhus Tox.

Para un eczema rojizo y seco en las manos y muñecas, a menudo con formación múltiple de vesículas. La irritación y picor son considerables, y usualmente la erupción está peor en la noche o con clima húmedo, y mejora con el calor.

Psorinum

La piel está muy irritada y tiene una apariencia gris y sucia. Hay irritación en los pliegues de flexión de rodillas y codos, a menudo con infección de la piel en el área eczematosa.

Graphites	La erupción se presenta en el cuero cabelludo, particularmente detrás de las orejas, que supuran algo que parece miel. Da mucha comezón en el cuero cabelludo y el área afectada.
Mezereum	A menudo afecta al cuero cabelludo con vesículas y costras infectadas que pueden supurar y dar mucha comezón.

Enuresis nocturna (orinarse en la cama)

Definición	Incapacidad de controlar la función de la vejiga durante el sueño, de tal manera que se orina involuntariamente durante la noche.
Causas	La causa tiene origen psicológico, casi sin excepción.
Síntomas	En general, el único síntoma físico es orinarse involuntariamente durante el sueño. Además, el niño es generalmente sensible y tiene problemas de culpabilidad y vergüenza.
Tratamiento	*Sabadilla*; *Lycopodium*; *Ferr. Phos.*; *Arsenicum*; *Gelsemium*; *Belladona*.
Sabadilla	Un remedio útil que se puede tomar en cuenta para problemas generales de debilidad de la vejiga. A menudo la orina es espesa y color arcilla.
Lycopodium	La orina está cargada de ácido úrico.
Ferr. Phos.	La orina huele a café, y a menudo hay incontinencia al toser. Está indicado cuando hay debilidad de los músculos del esfínter.
Arsenicum	Un remedio útil cuando se prescribe constitucionalmente en alta potencia al niño puntilloso, pulcro, con rasgos de personalidad obsesiva, delgado, friolento y muy ansioso.

| *Gelsemium* | Útil para niños nerviosos e histéricos. |
| *Belladona* | Cuando se orinan en la cama durante las primeras horas de la noche. |

Envenenamiento por alimentos

Definición	Infección aguda del intestino por la salmonella.
Causas	Alimentos infectados, cuando no se cuece adecuadamente la comida congelada infectada, o al recalentarla, falta de higiene general en la cocina, no tapar ni refrigerar los alimentos en el verano.
Síntomas	Diarrea severa y vómito, colapso, debilidad, sudor.
Tratamiento	*Arsenicum*; *Bryonia*; *Pulsatilla*; *Carbo Veg.*; *China*; *Nux Vomica*; *Colocynth*; *Mag. Phos.*; *Podophyllum*; *Ácido Fosfórico*.
Arsenicum	Escalofríos, frialdad, gran debilidad y postración, a veces sangre en las evacuaciones.
Bryonia	Naúsea y vómito, con cólico y diarrea. El paciente está acostado inmóvil, pálido, y la mínima presión o movimiento empeora los dolores.
Pulsatilla	No hay sed, enfermedades por excesiva alimentación con almidones, condiciones y síntomas muy variables.
Carbo Veg.	Naúsea y vómito con una evacuación estreñida, calambres en el abdomen superior, peor en la noche y después de comer. Flatulencia y distensión son un rasgo marcado. Colapso.

China	La debilidad es siempre una característica marcada, con cólico, vómito y diarrea sin dolor, a menudo durante la noche. Empeora o es provocada por comer fruta (la causa es que está verde, generalmente).
Nux Vomica	Cuando se trata de comidas indigestas e irritantes.
Colocynth	Enteritis con cólico, peor en las mañanas.
Mag. Phos.	También para cólico.
Podophyllum	Para diarrea acuosa severa.
Ácido Fosfórico	Para diarrea epidémica de verano.

Escarlatina

Definición	Una enfermedad aguda infecciosa y contagiosa.
Causas	Una reacción tóxica aguda, que involucra la piel y el cuerpo, generalmente debido a una infección de la garganta por la bacteria estreptococo betahemolítico.
Síntomas	Viene súbitamente, con fiebre alta, bochornos, náusea y sed, irritabilidad. Erupción roja, que empieza en el pecho y se difunde a todo el cuerpo. Garganta adolorida y lengua roja y llagada.
Tratamiento	*Belladona*; *Sulphur*; *Arsenicum*; *Aconito*.
Belladona	Usualmente sigue al *Aconito*, durante la erupción roja. También es profiláctica. Generalmente tres dosis son suficientes para prevenir la enfermedad.
Sulphur	La piel está caliente, roja y con comezón; la erupción tarda en desaparecer y cuando el *Sulphur* está indicado, algunas de las áreas se han infectado o agrietado o supuran pus. El cuerpo está típicamente caliente, pero en general hay intolerancia al agua en cualquier forma que se aplique a la piel.
Arsenicum	Se usa cuando está bajando la fiebre.
Aconito	Inicialmente durante la fiebre alta, y si la excitación es un rasgo marcado.

74

Fiebre

Definición

Para fines prácticos, un aumento de la temperatura arriba de 37° C (calor del cuerpo), aunque la temperatura varía un poco alrededor de este número y a menudo es un poco más baja.

Causas

Una infección en alguna parte del cuerpo y, más raro, cuando las causas se desconocen, pero no se asocian con una infección, puede ser emocional.

Síntomas

Calor, irritabilidad, debilidad, llanto, inapetencia, estreñimiento.

Tratamiento

Aconito; *Belladona*; *Bryonia*; *Arsenicum*; *Nux Vomica*; *Rhus Tox.*

Aconito

Debida a un viento seco y frío o miedo, inquietud, sed intensa, escalofríos y bochornos alternados, piel seca y caliente.

Belladona

Fiebre intensa, rubor en la cara, confusión, dolor de cabeza pulsátil

Bryonia

Empeora con el movimiento, tos, lengua cubierta de una capa amarilla, estreñimiento, dolores como latidos dolorosos, irritabilidad.

Arsenicum

Si es severa y prolongada, con postración.

Nux Vomica

Cuando está asociada con coriza o rinitis aguda.

Rhus Tox.

Dolor, fiebre debida a haber estado expuesto al frío y la humedad.

Fobia a la escuela

Definición

Miedo de dejar la casa y su seguridad para ir a la escuela.

Causas

Siempre psicológicas. El niño puede estar sobreprotegido por una madre muy ansiosa. Escuela rígida, falta de confianza, enfermedad previa.

Síntomas

Ansiedad, miedo paralizante y terror a morir, desfallecimiento, desmayo, palpitaciones, sudor, dolores abdominales, pánico.

Tratamiento

Argent. Nit.; *Gelsemium*; *Lycopodium*.

Argent. Nit.

Uno de los mejores remedios; el paciente es temeroso, le falta confianza en todo lo que intenta, y tiende a sobreidealizar a otros, lo cual intensifica su miedo de ellos. Típicamente el tiempo le pasa lentamente y se siente amenazado por la soledad, aunque cuando otros le piden atención le provocan sentimientos de coraje y resentimiento. El calor en cualquier forma le oprime.

Gelsemium

Remedio útil para las condiciones de fobia, a menudo cuando hay un componente de histeria; apego a los padres, irritabilidad, gran sentido de fatiga y agotamiento y miedo a la soledad en cualquier forma. Aunque hay un rechazo al calor, en este caso no es tan severo como la completa intolerancia que muestra el caso en que está indicado el *Argent. Nit.*

Lycopodium

La fobia a la escuela es parte de un patrón general de miedo y anticipación de algún desastre. Está indicado cuando hay un cambio de escuela, o el problema ha sido precipitado por una situación nueva. El niño casi siempre es artístico y sensible, demuestra un grado marcado de hipocondría, a menudo aprendido de uno de los padres.

Hemorragia nasal (epistaxis)

Definición	Cuando sangra la nariz espontánea-mente, no por un golpe.
Causas	Cuando los niños se pican la nariz, hemofilia; pero generalmente ocurre de manera espontánea.
Síntomas	Ataque súbito de sangrado nasal (usualmente de un lado), debilidad, desmayo; puede haber anemia y pa-lidez.
Tratamiento	*Hamamelis* tomada y *Hamamelis*, tintu-ra externa; *Aconito*; *Belladona*; *Arnica*; *Vipera 200*; *Pulsatilla*; *Ferrum Phos.*; *Arsenicum*.
Hamamelis	Externa en tintura y tomada en for-ma de glóbulos.
Aconito	En una constitución pletórica, debido a excitación.
Belladona	Por congestión cerebral, precedida por dolor de cabeza pulsátil en sie-nes.
Arnica	Indicada para la forma muy severa, cuando hay shock.
Vipera 200	Es específicamente para coagular y para detener la hemorragia.
Pulsatilla	Cuando se asocia con amenorrea sú-bita, y reemplaza el flujo menstrual.
Ferrum Phos.	Si la sangre es profusa, roja y brillan-te, se coagula fácilmente.
Arsenicum	Muy agitado, inquieto, ansioso y pos-trado.

Heridas

Definición
Heridas pequeñas en la piel y tejido subcutáneo, generalmente limpias.

Causas
Traumatismos, o el piquete de algún animal.

Síntomas
Ínfimos, usualmente puede haber dolor, sensibilidad, enrojecimiento.

Tratamiento
Tintura de *Hypericum*; *Ledum*.

Tintura de *Hypericum*
Ésta debe ser aplicada localmente.

Ledum
En la sexta potencia, éste es el remedio mejor y más inmediato para una herida pinchante y limpia.

Heridas infectadas

Definición	Cambios inflamatorios en una herida, con infección.
Causas	Infección local, usualmente asociada con el traumatismo.
Síntomas	Calor, inflamación, dolor, enrojecimiento, fiebre.
Tratamiento	*Staphysagria*; Tintura local de *Hypericum*; *Aconito*; *Belladona*; *Silicea*; *Hepar Sulph*.
Staphysagria	Usualmente la herida duele mucho, con una comezón que jala y es casi inaguantable. Siempre hay rasgos de enojo y resentimiento.
Tintura de *Hypericum*	Puede aplicarse localmente en casos tempranos.
Aconito	Está indicado en casos agudos tempranos de infección con enrojecimiento, fiebre o hinchazón.
Belladona	Ésta puede seguir al *Aconito* cuando hay mucho calor, enrojecimiento, fiebre e hinchazón y sensibilidad dolorosa.
Silicea	Cuando hay una infección crónica y formación de pus, que no responde al tratamiento.
Hepar Sulph.	Cuando hay formación de pus e infección.

Hernia (congénita)

Definición	Una pequeña bolsa de las capas abdominales y paso del intestino a través de la pared.
Causas	Debilidad congénita en el área paraumbilical.
Síntomas	Pequeña tumoración localizada, que se puede reducir y empujar dentro de la cavidad abdominal.
Tratamiento	*Calc. Carb.*; *Nux Vomica*; Cojinete de presión local y vendaje.
Calc. Carb.	Cuando está asociada con hidrocele.
Nux Vomica	Útil para hernias en general.

Impétigo

Definición

Una condición contagiosa severa de niños y adultos, con una seria inflamación purulenta y pústulas en la piel.

Causas

Infección, medio ambiente pobre, hacinamiento, dieta pobre y constitucionales.

Síntomas

La erupción pustular es en la cara, cabeza y cuero cabelludo, a menudo hace costras.

Tratamiento

Sulphur; *Mezereum*; *Arsenicum*; *Silicea*; *Ant. Crud.*

Sulphur

Uno de los remedios más útiles para iniciar.

Mezereum

Cuando hay mucha supuración y formación de escamas en el cuero cabelludo.

Arsenicum

Generalmente útil. En particular cuando hay una debilidad marcada.

Silicea

Útil cuando hay infección en un niño friolento, delgado y con extremidades frías y húmedas.

Ant. Crud.

Útil cuando hay infección crónica que no responde al tratamiento.

Lombrices

Definición	Infestación del ciego y el colon superior por la Oxyuris vermicularis. Anemia.
Causas	Infección por la Oxyuris, lombriz blanca de 6 mm a 2.5 cm de largo, que parece hilo. Se mueve rápidamente y se contrae cuando se le toca. Los huevecillos entran al cuerpo con las verduras que no están bien lavadas.
Síntomas	Irritación del ano con comezón, peor de noche, comezón en la nariz, apetito variable, frecuente deseo de defecar ineficaz, irritabilidad, insomnio, enuresis, inquietud.
Tratamiento	*Cina*; *Teucrium*; *Santonine*; *Urtica Urens*; *Calcarea*; *Sulphur*.
Cina	Cuando hay horadación en la punta de la nariz, ojeras, inquietud, rechina los dientes cuando duerme, comezón en el ano, retortijones, inquietud durante el sueño, náusea o vómito, hipo, tendencia a la diarrea.
Teucrium	Cuando hay mucha comezón en el recto, irritabilidad, insomnio y vértigo.
Santonine	Generalmente útil para todas las variedades de infestación con lombrices.
Urtica Urens	Para comezón excesiva en el ano por las noches.

| *Calcarea* | A menudo muy útil para los niños de la constitución de *Calcarea*. |
| *Sulphur* | Para cólico ocasionado por lombrices |

Orzuelos (perrillas)

Definición	Una pequeña infección localizada en la raíz de la pestaña en la orilla del párpado.
Causas	Usualmente autoinfección, que viene de tallarse inconscientemente el párpado con la mano dominante, debilidad, impétigo. Es importante la higiene personal.
Síntomas	Dolor, enrojecimiento, usualmente de los párpados superiores, puede haber pus o materia acuosa, que hace que los párpados se peguen durante el sueño. Puede haber escamas en los párpados.
Tratamiento	*Pulsatilla*; *Sulphur*; *Aconito*; *Hepar Sulph.*; *Calcarea*; *Staphysagria*.
Pulsatilla	Usualmente es adecuada, y es el primer remedio que se puede dar.
Sulphur	De valor si es recurrente, se ve mirada sucia y los ojos están muy rojos.
Aconito	Hay que darlo pronto si hay fiebre, inquietud y dolor agudo.
Hepar Sulph.	Otro remedio muy valioso cuando falla la *Pulsatilla* o cuando no está indicada.
Calcarea	Tiene valor si es recurrente y encaja en el tipo de *Calcarea*.
Staphysagria	Usualmente en el párpado inferior, y con el temperamento característico irritable en extremo.

Otitis media

Definición	Infección aguda del oído medio.
Causas	Infección aguda, usualmente procedente de la garganta o portada por la sangre.
Síntomas	Fiebre, dolor agudo, puede estar punzando.
Tratamiento	Ésta es una condición aguda que debe ser atendida por el doctor tan pronto como sea posible. *Belladona*; *Aconito*; *Chamomilla*; *Mercurius*; *Pulsatilla*.
Belladona	Uno de los primeros y más agudos remedios cuando hay un ataque muy severo con dolores súbitos horadantes, fiebre, sudor. El tímpano está infectado y a menudo tenso. Los síntomas son peores en la noche y se mejoran con aplicaciones de calor.
Aconito	Para casos muy tempranos agudos con fiebre, dolor severo, punzante. A menudo se debe a enfriamiento o a un súbito cambio de temperatura. Todos los síntomas empeoran en la noche y también con el calor.
Chamomilla	Para dolor severo, picoso, inaguantablemente violento e irritación. Las mejillas están sonrojadas y el paciente está inquieto, peor por la noche y por el frío.

Mercurius	Hay dolores severos, alta temperatura y a menudo hay secreción de pus; el niño está inquieto, llorando; a menudo sudoroso y puede estar delirante. Hay una sensación frecuente y específica de agua helada en el oído, lo cual es la indicación más clara para aplicar el remedio.
Pulsatilla	Un remedio muy útil para la infección del oído. El oído duele, está caliente e inflamado, con dolores que van y vienen y son muy variables. A menudo hay una supuración amarillo verdosa. Todos los síntomas empeoran con el calor. El paciente está muy llorón y sin sed, con fiebre.

Paperas

Definición
Una aguda infección contagiosa y epidémica de las glándulas salivales y paróticas. Afecta principalmente a los niños pequeños y a los adultos jóvenes.

Causas
Contagio directo por contacto cuando hay una epidemia; es más raro que se den casos aislados, muy común en primavera y verano.

Síntomas
Hinchazón, calor, dolor, fiebre en el ángulo de la quijada, disfagia. Usualmente empeora el cuarto día y mejora en el décimo.

Tratamiento
Aconito; *Pulsatilla*; *Belladona*; *Rhus Tox.*; *Sulphur*; *Hepar Sulph.*; *Pilocarpin Mur.*; *Parotidinum*.

Aconito
Cuando hay fiebre, inquietud, sed, dolor; al iniciar las etapas agudas.

Pulsatilla
Cuando están involucrados los testículos o los pechos.

Belladona
Cuando la parotiditis da del lado derecho, con fiebre, enrojecimiento e hinchazón.

Rhus Tox.
Cuando la parotiditis está del lado izquierdo, con hinchazón y eritema, empeora con el frío y la humedad. También para prevenir cuando se sospecha que se tuvo contacto con parotiditis.

Sulphur
Es necesario si la infección se vuelve una enfermedad complicada.

Hepar Sulph.	Sólo tiene valor para supuración y complicaciones infecciosas severas.
Pilocarpinum Mur.	Como preventivo.
Parotidinum	Como preventivo.

Piel agrietada

Definición	La piel se agrieta, a menudo en las puntas de los dedos y manos. A veces incluye la región anal.
Causas	Generalmente desconocidas.
Síntomas	Grietas en las puntas de los dedos, y manos, a menudo se vuelve crónica y no se puede curar.
Tratamiento	*Silicea*; *Petroleum*; *Natrum Mur.*; *Agaricua*; *Sulphur*; Tintura de *Tamus*.
Silicea	Éste es un remedio valioso cuando hay grietas en las puntas de los dedos, las cuales son profundas y no se curan. Usualmente las extremidades están frías y sudorosas.
Petroleum	Hay un eczema espeso y crónico, de aspecto sucio y a menudo denso con la piel roja, áspera y seca, que tiende a agrietarse.
Natrum Mur.	El área alrededor de las uñas se agrieta y se infecta o desarrolla "padrastros" que se infectan.
Agaricua	Para sabañones de invierno que están rojos, dolorosos y dan comezón con tendencia a agrietarse. La circulación es pobre.
Sulphur	Tiene una piel rojiza que se ve sucia y da comezón, se puede agrietar y siempre se agrava con el agua.
Tintura de *Tamus*	Un remedio útil para aplicación local.

Piquetes de insecto

Definición

El piquete del insecto (usualmente de abispa, abeja, mosquito u hormiga) penetra la piel. En algunas áreas el tábano también puede causar reacciones muy dolorosas e inflamatorias.

Causas

Hay una respuesta inflamatoria a la toxina química del piquete, la cual es un irritante severo en el área que rodea el punto de entrada del piquete.

Síntomas

Dolor, hinchazón, enrojecimiento. Puede haber una respuesta alérgica más generalizada en algunas personas sensibles, con desfallecimiento, paro respiratorio, palpitaciones y un edema muy severo y doloroso.

Tratamiento

Apis; *Ledum*; Tintura de *Calendula* o Tintura local de *Ledum*; *Arnica*, o *Hypercal*. El tratamiento inicial siempre es quitar el aguijón o púa tan luego como sea posible, a menudo rascar la superficie de la piel. Siempre hay que atender el shok si hay alguna evidencia de colapso o reacción alérgica severa.

Apis

Cuando se trata de un piquete de abeja o mosquito, con hinchazón local, enrojecimiento, irritación y dolor. Se escapa un poco de orina durante el dolor agudo y ésta es una indicación específica para dar *Apis*.

Hypercal, crema

Aplicar al área para aliviar y reducir el dolor y la irritación.

Ledum	Está indicada cuando se ha localizado el piquete, donde hay dolor e irritación, sin el enrojecimiento y la hinchazón de *Apis*.
Arnica	Ésta es esencial cuando hay cualquier grado de shock, o colapso, o cuando el área se siente magullada y adolorida, y cuando la hinchazón es menos roja y no hay tanta comezón como con *Apis*.
Tintura de *Calendula*	Aplicar cuando hay alguna posibilidad de infección, como en el caso de un piquete en algún área sucia del cuerpo, como puede ocurrir cuando se trabaja en el jardín.
Tintura de *Ledum*	Aplicar localmente cuando haya un piquete profundo y doloroso.

Piojos

Definición

Infestación del cuero cabelludo con el parásito *Pediculus capitis*.

Causas

Contagio, falta de higiene, hacinamiento.

Síntomas

Comezón e irritación del cuero cabelludo y la presencia de parásitos en el pelo.

Tratamiento

Champú de *Sabadilla* diariamente (preparado de la tintura, una parte en veinte); *Natrum Mur.*; *Staphysagria*; *Tub. Bov.*

En general es escencial una higiene estricta.

Tintura de *Sabadilla*

Ayuda mucho un champú diario.

Natrum Mur.

Es indicado cuando la condición está presente en un cuero cabelludo graso-so, a menudo con caspa, y una erupción irritante marcada en la orilla del pelo usualmente en el área de la frente.

Staphysagria

Comezón severa y constante irritación del cuero cabelludo, siempre se lo está tocando y rascando, infectando y reinfectando. También frecuentemente hay una infección, que provoca una supuración de aspecto sucio, húmeda, y cualquier examen del área provoca enojo, oposición y rabia.

Tub. Bov.

Frecuentemente es curativo en los casos crónicos.

Sarampión

Definición	Una enfermedad infecciosa aguda en los niños.
Causas	Contacto directo, tiempo de incubación de 10 a 14 días.
Síntomas	Siempre empieza con un estado catarral, resfrío, ojos infectados, dolor de cabeza, ronquera, tos, fiebre; después de cinco días sigue una erupción con manchas, primero en la cara, después en el cuello y el pecho.
Tratamiento	*Morbillimum 200*; *Pulsatilla*; *Aconito*; *Gelsemium*; *Bryonia*; *Euphrasia*; *Ferrum Phos.*
Morbillimum 200	El *Morbillimum 200* es profiláctico y valioso para adelantar el tratamiento.
Pulsatilla	Generalmente muy útil cuando la persona no siente sed, está inquieta e irritable. La tos empeora al atardecer, con un escurrimiento catarral amarillo que sale de la garganta y la nariz. Diarrea y trastornos gástricos e intestinales.
Aconito	Si hay fiebre alta, pulso lleno, tos seca, inquietud y sed.
Gelsemium	Para tratar las complicaciones de la fiebre alta y la supresión de erupciones. A menudo sediento, con estreñimiento, dolor de cabeza, delirio, postración, lengua seca. Pueden sobrevenir convulsiones.
Bryonia	Tos seca.

Euphrasia	Nariz y ojos fluyentes, fotofobia, ojos adoloridos, temperatura moderada.
Ferrum Phos.	La piel está caliente y ardiente, usualmente la garganta duele y está inflamada. Hay intolerancia a cualquier forma de calor; sin embargo, la más mínima corriente de aire o aire fresco resulta intolerable. Aunque la piel está ardiendo, el paciente a menudo se siente muy frío.

Tartamudeo

Definición	Un defecto espasmódico del habla, peor a veces, particularmente bajo stress o con esfuerzo.
Causas	Desconocidas.
Síntomas	El defecto característico del habla.
Tratamiento	*Stramonium*; *Hyoscymus*; *Arsenicum*; *Zincum*; *Cuprum Met.*; *Agaricus*..
Stramonium	A menudo la cara está roja, caliente y sudorosa, la persona es excitable, a menudo inestable o imaginativa, o ilusa, el habla es errática, irregular e impredecible.
Hyoscymus	Está indicada cuando el habla es demasiado rápida y fuera de ritmo y fase, de tal manera que hay un esfuerzo para compensar tratando de autocorregirse lo cual empeora el tartamudeo.
Arsenicum	Uno de los más valiosos de todos los remedios.
Zincum	Uno de los rasgos son los movimientos de sacudida, particularmente de las extremidades, y esto también puede afectar la lengua, de tal manera que el habla es incoherente.
Cuprum Met.	El espasmo en todas las partes del cuerpo es la gran característica de este remedio, y está indicado cuando el tartamudeo es espasmódico y el habla pesada y trabajosa.

96

Agaricus

La persona afectada es particularmente nerviosa y tensa, con movimientos marcados como tics, comportamiento disparatado e inapropiado. Son muy sensibles al frío y su circulación siempre es mala, con las extremidades frías o azules.

Torceduras

Definición	Los tendones y ligamentos en el área afectada están tensos, rotos y sobre-extendidos.
Causas	Resbalón, caída, traumatismo agudo.
Síntomas	Dolor, incapacidad, sensibilidad, hinchazón, magulladura.
Tratamiento	*Calcarea*; *Arnica*; *Bellis*; *Rhus Tox.*; *Bryonia*; *Ruta*; *Ledum*.
Calcarea	Está indicada en el niño débil, fofo y gordo. Friolento, particularmente cuando están débiles los tobillos, y las torceduras son comunes.
Arnica	Para el shock y para bajar la hinchazón y disminuir el dolor. Úselo internamente y aplique localmente como loción.
Bellis	Uno de los remedios más eficaces y rápidos, que alivia la hinchazón y el dolor de los ligamentos estirados, y particularmente indicado cuando el daño está en el lado izquierdo del cuerpo.
Rhus Tox.	Cuando la torcedura se debe a una caída o lesión y hay dolor, rigidez e hinchazón, debe darse después del *Arnica*. También puede aplicarse localmente como loción.
Bryonia	Si se trata de una articulación que está hinchada y duele.

98

Ruta	A menudo de mucha ayuda para torceduras y lesión de los ligamentos.
Ledum	Útil cuando hay magulladuras severas y hematoma. Se puede dar internamente o localmente como loción.

Tos

Definición	Contracción espasmódica del diafragma, debido a irritación de las vías respiratorias por varias causas.
Causas	Irritación del paladar suave y las vías respiratorias altas, particularmente por una infección o cuerpo extraño.
Síntomas	La tos es un síntoma en sí mismo, y no una enfermedad. La tos es muy variable en tipo y características, lo cual afecta la elección del remedio.
Tratamiento	*Aconito*; *Belladona*; *Bryonia*; *Ipecacuanha*; *Drosera*; *Spongia Tosta*; *Hepar Sulph.*; *Phosphorus*; *Chamomilla*; *Sulphur*; *Kali. Bich.*
Aconito	Tos seca y dura, constante, aguda, peor en la noche, mejora con el frío; ansiedad, inquietud, cara sonrojada, estreñimiento, empeora por exposición al viento frío.
Belladona	Tos corta y seca que sacude, paroxismos violentos de tos, laringe seca, peor en la noche. Cara sonrojada, dolor de cabeza.
Bryonia	Tos seca y dura que sacude, peor durante el día, a menudo con dolor en el costado y pinchazos en el pecho, se sostiene la cabeza y el pecho cuando tose, desea grandes cantidades de agua fría.
Ipecacuanha	Tos húmeda estertórea, peor en la noche, a menudo asociada con vómito y ansiedad. En el pecho se oye respirar ruidoso.

Drosera	Cosquilleo en la garganta y tos violenta. Tos espasmódica, peor en la noche, con arqueo, ahogo y vómito; puede haber esputo con estrías de sangre; suda cuando se despierta, dolor bajo las costillas.
Spongia Tosta	Tos silbante seca que parece ladrido con cosquilleo, ronquera, pérdida de la voz; mejor después de comer y beber.
Hepar Sulph.	Tos de origen infeccioso, a menudo bronquitis, con respiración ruidosa, falta de aire y debilidad. A menudo hay fiebre alta; el niño está intoxicado.
Phosphorus	La tos típica es seca e irritante, peor en la noche; no lo deja dormir y a menudo está asociada con una historia o tendencia al asma.
Chamomilla	Hay una tos seca e irritante, peor en la noche, con inquietud, irritabilidad y a veces respiración asmatiforme, que a menudo ha sido provocada por un ataque de enojo.
Sulphur	La tos es húmeda y estertórea, que produce un esputo sucio espeso, amarillo verdoso e infectado. Útil para condiciones crónicas.
Kali. Bich.	Tos con expectoración viscosa y filante, respiración dificultosa, mareo, peor después de las comidas, al levantarse en las mañanas; puede estar rayada de sangre.

Vacunación (reacciones a)

Definición	Inoculación del niño con la vacuna de la viruela que causa una reacción y respuesta local.
Causas	La vacunación contra la viruela negra.
Síntomas	Dolor, hinchazón, malestar general, fiebre.
Tratamiento	*Variolinum 200*; *Thuja*.
Variolinum 200	Cuando ha habido una reacción severa a la vacuna contra la viruela negra.
Thuja	Cuando el niño o el adulto han tenido una reacción a la vacuna y no han quedado bien desde entonces.

Varicela

Definición

Una enfermedad infecciosa generalmente leve, de origen viral. Infección por el virus Varicella, a través del contacto ya sea con un portador o con un caso agudo.

Síntomas

Vesículas características, llenas de fluido acuoso en el segundo día, que se secan en el tercero y cuarto día, para formar escaras o costras. La fiebre es leve y dura poco, no deja cicatrices.

Tratamiento

Aconito; Rhus Tox.; Ant. Tart.; Belladona; Apis; Sulphur; Mercurius; Gelsemium; Pulsatilla.

Aconito

En el estado febril, con síntomas de ansiedad, miedo, sed, calor seco, pulso rápido, duro y lleno.

Rhus Tox.

Es el primer remedio que puede prescribirse en la primera etapa de la enfermedad. Inquietud de cuerpo y mente. Detiene el desarrollo de la enfermedad.

Ant. Tart.

Ayuda al desarrollo de las vesículas y es valioso cuando la erupción se forma lentamente y también cuando hay tos y frío.

Belladona

Dolor de cabeza, rubor, garganta adolorida, fiebre, palidez alrededor de la boca.

Apis

Excesiva comezón de la erupción.

Sulphur

Hambriento pero come poco. Muy sediento.

Mercurius	Para cualquier infección de las vesículas de la varicela.
Gelsemium	Cuando la fiebre tarda en ceder, el paciente está débil, somnoliento y mareado.
Pulsatilla	Humor suave; lloroso; la forma sin sed de la enfermedad.

2

LAS ENFERMEDADES DURANTE LA ADOLESCENCIA

Los cambios turbulentos y agudos que son tan característicos de la adolescencia ocurren después del periodo relativamente calmado de la niñez pre adolescente. La pubertad marca el comienzo de la sexualidad adulta con profundos cambios fisiológicos, hormonales y psicológicos —súbitos brotes de crecimiento y aumento de peso, el desarrollo de vello en el cuerpo y el advenimiento del ciclo menstrual. Todos estos cambios pueden convertirse en el centro de atención y una preocupación que a veces no es sana, particularmente cuando éstos se retrasan. Inevitablemente hay muchas comparaciones con los amigos. Cuando alguno de estos cambios se retrasa, quizá hasta la edad de catorce o quince años, o cuando el crecimiento es lento y el adolescente es pequeño de estatura por cualquier razón, puede ser una fuente de ansiedad para el joven, que está particularmente consciente de su cuerpo y tiende a medir su aceptación a través de él.

Durante la adolescencia, la sexualidad alcanza una madurez que se expresa indirectamente. Mucho de este impulso se canaliza a la actividad física como el deporte competitivo, o expresiones creativas como el arte o ballet. Todas estas actividades se asocian con gran urgencia, impulso, entusiasmo e impaciencia. Los sentimientos son fuertes y se caracterizan por una actitud de "Por qué esperar, hay que actuar ahora". La sexualidad proporciona la fuerza subyacente e impulso al típico adolescente pujante y garboso. Al mismo tiempo es una fuente de preocupación, ansiedad e intensidad.

Algunos ejemplos de tipos de temperamentos Adolescentes homeopáticos

Algunos son especialmente sensibles y a menudo precoces, tanto física como mentalmente y aparentan ser maduros y mayores de la edad que tienen. Poner problemas adultos sobre hombros juveniles a menudo provoca que tengan expresiones desasosegadas y preocupación y ansiedad por el futuro. Generalmente son muy atractivos, dotados y encantadores. Aunque son artísticos, tienden a ser sobre-intelectuales, preocupados con eventos mundiales, finanzas del hogar o, generalmente, por la familia. Sin embargo, detrás de esta fachada de madurez y aplomo social son sumamente nerviosos y les falta confianza, lo cual disimulan con su considerable habilidad y capacidad verbal y una manera de ser pseudo adulta. Es este tipo de temperamento el que responde tan bien al *Lycopodium*.

Otro tipo de adolescente es artístico pero más pasivo y obviamente tímido y taciturno, sin la aparente madurez del tipo de *Lycopodium*. Éstos se ven y se sienten como niños pequeños, son fácilmente influenciados, cambiantes y les falta la profundidad y habilidad de los anteriores. Tienden a ser solitarios o a rodearse de niños más jóvenes, el opuesto del adolescente *Lycopodium*, que usualmente prefiere la compañía de los adultos. A menudo están demasiado dispuestos a agradar, con la tendencia a estar de acuerdo con tal de que haya paz y tranquilidad. Esta actitud excesivamente complaciente socava su confianza y todo el desarrollo de su personalidad. Otras veces son tercos y difíciles, como una parte de su tendencia cambiante en general. Necesitan mucho apoyo y simpatía. A menudo las jóvenes tienen menstruaciones difíciles, retrasadas o dolorosas, que desde un principio son una molestia y un problema. Esta forma de temperamento responde bien a la *Pulsatilla*.

Otros se rebelan, constituyendo el típico adolescente torpe, desafiante y difícil de manejar. Son fogosos, hipersensibles y rebeldes; pueden tomar cualquier comentario como un insulto u ofensa intencional. Frecuentemente enfrentados con sus padres o maestros, a menudo se asocian con un grupo minoritario y pueden volverse violentos y destructivos dentro de ese grupo, aunque no siempre directamente dentro de la familia. Son impacientes, tienden a involucrarse rápidamente en causas, y al mismo tiempo se sienten incomprendidos o rechazados. Se comprometen apasionadamente, a menudo por causas políticas o sociales, y pueden oponerse y desafiar a la autoridad en cualquier caso de injusticia por el que estén preocupados en ese momento. Estas preocupaciones sociales y actitudes ante la autoridad son una extensión de actitudes similares a las fronteras y límites dentro de la familia, en donde a menudo están igualmente en una posición de protesta y conflicto. A menudo este tipo de temperamento demuestra cualidades de fortaleza y liderazgo; el joven puede ser muy leal y una torre de fortaleza para los amigos, especialmente con alguien que se considere inferior o marginado. Una gran debilidad es su tendencia a tener "cortos circuitos" y reaccionar de más en cualquier situación, aun con amigos, lo cual los hace difíciles, impredecibles y a menudo poco confiables. Los problemas físicos comunes asociados con este tipo son problemas digestivos con cólico y estreñimiento. En este patrón de conducta está indicado *Nux Vomica*.

Algunos adolescentes están siempre sucios y desarreglados, tanto en su apariencia física como en su mente y pensamiento. Tienen grandes planes y proyectos, muchos de ellos ambiciosos, pero a menudo desafortunadamente poco realistas, cambiantes y difícilmente realizables. Las ideas se piensan, planean y discuten por muchos meses sin que se hagan realidad. A menudo son desertores y no es probable que actúen en iniciativas organizadas o reflexionadas, y tienden a seguir al rebaño. Otros están inmersos en ocupaciones irreales y fantasías solitarias. Su debilidad física es la piel, la cual tiende a estar crónicamente enferma e infectada, con brotes frecuentes de granos y manchas, lo cual aumenta su apariencia poco sana y poco atractiva. El *Sulphur* es el remedio que puede servir para este tipo de patrón de comportamiento adolescente.

Hay otro tipo de adolescente arisco e irritable, a menudo alto y delgado con la espalda grande y piel cetrina y pálida. Nunca están realmente bien, siempre se quejan y se sienten mal, exhaustos aun cuando acaban de despertar. Frecuentemente llegan tarde al trabajo o a la escuela, tienen problemas por esto y por sus actitudes de crítica e irritabilidad. Se componen un poco con el ejercicio, y mientras más enérgico es el ejercicio se sienten mejor. A menudo florecen si se les acompaña, y una vez que se les convence de que se relacionen socialmente se olvidan de sus muchos males. Las jóvenes están con frecuencia incapacitadas por periodos menstruales pesados y dolorosos con cólicos, con tirantez hacia abajo, que las molestan y las hacen sentirse miserables. Un problema común es el estreñimiento, como también es el dolor de espalda. La *Sepia* es el remedio que hay que usar para este tipo de adolescente.

Algunos adolescentes son introvertidos y solitarios con humor cambiante, desde enojo y actitud infantil hasta las lágrimas y la histeria, y son especialmente propensos a los arranques emocionales. Tienden a enfermarse rápidamente cuando hay un cambio de rutina, tal como antes de una entrevista, un examen o quizá un cambio de trabajo o de escuela. Es difícil ayudarlos o relacionarse con ellos, rehuyen la compasión o el consuelo en cualquier forma y prefieren estar solos. En general, les falta confianza y nunca pueden ser realmente naturales o auténticos en cualquier situación social; siempre parecen estar actuando, distantes y remotos. Frecuentemente hay un gran deseo de tomar sal, y comúnmente están ya sea mejor o peor a la orilla del mar. El remedio que puede servir para este temperamento es el *Natrum Mur*.

El desarrollo de una identidad segura a menudo no se establece hasta la temprana madurez, y para algunos hasta después, debido a que la identidad e imagen de sí mismos es débil y se retrasa. Esto hace que los adolescentes sean extremadamente vulnerables y sugestionables, y a menudo necesitan identificarse con lo que en ese momento proponen los medios de comunicación como el ideal de salud, éxito y potencia. El adolescente maneja estos problemas básicos creándose una identidad pasajera, la cual le asegura la aceptación por otros de su grupo. Esta identidad afecta cada aspecto de su individualidad: su forma de vestir, gusto en la música, comer, fumar y beber, y algunos experimentan con drogas y sexo. La necesidad de presentar una imagen de seguridad, fortaleza e indiferencia a los cambios de clima, quiere decir que el adolescente pocas veces se viste lo suficientemente abrigado, y la tos y los catarros son frecuentes y prolongados.

Al mismo tiempo que los cambios físicos del adolescente, hay una recurrencia de las demandas de la niñez temprana, con actitudes que buscan llamar la atención; esto incluye necesidad de alimentos dulces que usualmente se asocian con el niño más pequeño. Tienen excesivos antojos de alimentos y bebidas pesados y feculosos y a menudo comen compulsivamente estando en grupo. También las comidas son apresuradas, irregulares, a menudo de mala calidad, particularmente las que hacen fuera de la casa cuando prefieren lo instantáneo y rápido. Esta dieta deficiente, junto con los profundos cambios hormonales, da cuenta de muchos de los problemas de salud en general típicos del adolescente.

Las infecciones de la piel son muy comunes, especialmente acné, orzuelos, furúnculos, eczema y caspa. Hay una gran incidencia de problemas digestivos, que incluyen calambres en el estómago, dolores y diarrea, estreñimiento, a menudo gases y flatulencia. También es frecuente la caries dental, junto con muchas condiciones crónicas de la boca y las encías, que a menudo se complican con la infección leve y el fumar. Desafortunadamente el consumo de dulces y cigarros en exceso no ofrecen el sentimiento de apoyo o de confianza que se busca y, al socavar la salud, crean más ansiedad.

En algunos esto puede llevar a una preocupación malsana por sí mismo y las funciones corporales, especialmente cuando ya existe una tendencia a la introspección y a la hipocondría. Ejemplo de esto son las excesivas dietas, que a veces provocan anorexia nerviosa, especialmente cuando subyace una imagen corporal distorsionada. Una enfermedad anoréxica puede darse cuando un simple programa de control de peso se ha salido de control y se ha vuelto compulsivo y parte de una enfermedad mental. Resultados de la pérdida excesiva de peso son cambios hormonales y fisiológicos profundos, y en algunos casos esto puede poner en peligro la vida si la enfermedad es muy severa. Hay remedios poderosos que pueden balancear los procesos mentales, tales como *Natrum Mur.*; *Pulsatilla* o *Argentum Nit.*, a menudo muy valiosos. Las actitudes de los padres son un factor clave, y su comprensión y manera de tratar el asunto pueden afectar la duración y el resultado de la enfermedad. Cuantas veces sea posible, tales tendencias deben frenarse y contraatacarse en las primeras etapas con un acercamiento y discusión sinceros y abiertos. En donde exista una posible tendencia anoréxica, ésta se debe tratar antes de que se vuelva un problema psicológico y un peligro a la salud.

La dieta ideal para el adolescente promedio debe ser variada, con una abundante provisión de alimentos crudos, proteínas y fruta fresca. En general es mejor que el almidón y los carbohidratos sean más bien pocos, por su tendencia a comer antojos con almidón entre comidas.

Todas estas dificultades de los adolescentes pueden desconcertar a los padres, a menos que tengan presentes los conflictos que ellos mismos tuvieron en esa etapa con sus propias familias. Cuando se asume una posición equilibrada ante todos estos problemas, las actitudes a menudo aparentemente atroces, antisociales, de "no me importa", que parecen no tener ningún sentido de respeto o directiva, se pueden poner en la debida perspectiva. Si se toman como las luchas del joven adulto desorientado que está creciendo, y tratando desesperadamente de encontrarse, se puede adoptar una postura más positiva y confiada. El saber que ya en los años tempranos del adulto, la mayoría de estos problemas se habrán resuelto, le pueden hacer sentir al adolescente algo de la calma y confianza que está buscando tan desesperadamente.

Algunos casos típicos

Vino a verme una estudiante de dieciocho años porque había tenido constantes dolores de garganta y catarro con secreción incolora durante todo el año anterior. A veces tenía la garganta seca y caliente, de tal manera que le era difícil tragar. Durante los últimos meses había estado más irritable, aunque usualmente era de bastante buen carácter. Era una persona abierta, no muy solitaria, pero se sentía algo nerviosa en las multitudes y los elevadores. Le gustaba el clima soleado, pero no demasiado caliente, con brisa. Le gustaba comer dulces y chocolates y tomaba poca sal o grasas. Lloraba poco y casi nunca tenía sed. Tenía la piel muy seca y sudaba poco. Le dimos *Lycopodium* en alta potencia. Un mes después estaba mejor en general, aunque todavía le daban dolores de garganta ocasionalmente. Le administramos *Kali. Bich. 6* por un mes, se sintió mucho mejor y desaparecieron todos los síntomas.

***

Vino a verme un muchacho de quince años porque era pequeño de estatura y en general no se estaba desarrollando. También era muy miope. Se le había retrasado la pubertad, y el vello púbico apenas se le había desarrollado en los últimos

meses. Su visión se deterioró durante los últimos tres o cuatro
años y casi no podía leer el pizarrón de la escuela. Era un muchacho nervioso que temía a la oscuridad y todavía un año antes mojaba la cama. Lloraba fácilmente, era sediento y sudaba
poco. Sus alimentos favoritos eran sazonados y le agregaba
mucha sal a todo lo que comía. Su peso al nacer había sido
normal y lo habían amamantado durante nueve meses. Le dimos *Natrum Mur. 10M* y *Ruta 6*. Dos meses después había un
marcado incremento en sus características sexuales y empezó
a subir de peso. La falla de los ojos estaba empezando a mejorar y en general se estaba sintiendo mejor.

* * *

Una muchacha de dieciocho años vino a verme porque se estaba sintiendo abatida, desgastada y deprimida desde que había terminado un excelente examen dos semanas antes. Tenía
mareos, le dolía la cabeza con presión generalizada y no quería
salir, sintiéndose de un humor negro, desesperanzada y tensa.
Sentía que algo muy serio le estaba pasando, que tal vez se estaba muriendo. Siempre estaba inundada en lágrimas y no podía dormir. No le gustaba la comida y tenía dolores indefinidos
en el pecho al respirar. No era particularmente sedienta y no
aguantaba de ninguna manera el calor. Le dimos *Pulsatilla
10M* y cuando volvió dos semanas después había una marcada
mejoría en su depresión y confianza en general. La he visto de
tiempo en tiempo a lo largo del año pasado y no ha habido recurrencia de la fuerte depresión.

* * *

Una niña de doce años vino a consultarme por su acné facial y
espinillas, de lo cual había sufrido intermitentemente durante
los últimos dos años. Por lo demás estaba bastante bien, aparte
de una tendencia a una conjuntivitis recurrente y ojos irrita-

dos. Era más bien reservada, callada y tímida, solitaria, y podía decir poco de sí misma. Era desarreglada en su persona y con sus cosas. Le gustaban todos los alimentos, especialmente los dulces, tomaba mucha sal, y le gustaban mucho la crema y los huevos. Generalmente se sentía peor en un clima húmedo y frío, pero le gustaba mucho la nieve y el calor tibio. Le administramos *Sulphur 10M* y cuando vino un mes después reportó que había mejorado el acné y que se sentía bien. Sin embargo, todavía había un poco de irritación. A causa de su manera de ser tranquila y sus manos tibias y sudorosas, le prescribimos *Calc. Sulph.* Esto la hizo mejorar más y disminuyó la irritación.

* * *

Una madre me trajo a su hijo, estudiante de quince años, porque había dejado la escuela durante un año, después de un curso con muchos problemas y tenía un historial de ataques de pánico desde los seis años. En ese momento —cuando estaba en la secundaria— súbitamente se había asustado y no había querido ir a la escuela (sin razones aparentes), pero esto sólo había durado unos cuantos días. El ataque de pánico estaba asociado con un terror a las clases de natación. Durante los últimos años había asistido a fiestas, pero ahora estaba saliendo cada vez menos. Sin embargo, le gustaba la gente, no le agradaban las alturas, los elevadores y el metro, y era generalmente de hábitos limpios y aseados. No toleraba el calor y prefería la lluvia o estar afuera en el aire fresco. Era muy sediento y le gustaban los alimentos dulces, particularmente los chocolates. Le recetamos *Argentum Nit.* en alta potencia, y cuando lo vimos tres semanas después reportó que se sentía mucho mejor y más normal, que había empezado a salir de su casa y que estaba trabajando en un centro de tutores dos horas diarias. Un mes después había vuelto a la escuela tiempo completo, apegándose un poco a sus amigos, pero había superado los episodios de fobia severa que le paralizaban.

Acné

Definición	Una inflamación crónica de las glándulas sebáceas de la piel, de erupciones duras, y áreas de infección con enrojecimiento.
Causas	Dieta demasiado rica en carbohidratos, constitucional, falta de higiene.
Síntomas	Molestias, irritación, infección, secreción.
Tratamiento	*Kali. Brom.*; *Sulphur*; *Psorinum*; *Calc. Sulph.*; *Kali. Sulph.*; *Pulsatilla*; *Ant. Crud.*; *Arsenicum*.
Kali. Brom.	Remedio muy útil para el acné crónico, particularmente en la cara, cuello y parte alta de la espalda.
Sulphur	Uno de los mejores remedios para áreas circulares, duras y prominentes que están rojas y a menudo duelen y se infectan. Usualmente empeoran con el agua.
Psorinum	Es útil cuando hay acné severamente infectado, a menudo se forman abscesos, y espcialmente hay mucha comezón característica, provocando que se rasque y se reinfecte.

Calc. Sulph.	Éste es muy útil en una constitución de *Calcarea* con palidez, frente sudorosa y flaccidez.
Kali. Sulph.	Este remedio es muy efectivo cuando hay una constitución combinada de *Kali.* y *Sulphur* de debilidad e infecciones de la piel.
Pulsatilla	Ayuda en todos los casos que se agravan con el calor. Generalmente toman muchos alimentos que contienen almidón y no son muy sedientos.
Ant. Crud.	Hay muchas zonas infectadas de acné en la cara y por lo general se asocian con trastornos digestivos. La lengua tiene una cubierta de color blanco.
Arsenicum	Es útil en casos crónicos o severos cuando se asocia con una marcada debilidad.

Agorafobia

Definición	Miedo de salir fuera de la seguridad del hogar, solo.
Causas	Psicológicas, temperamentales, familiares.
Síntomas	Ansiedad, miedo a la necesidad o tan sólo a pensar, en dejar el hogar. Usualmente se quedan en la casa, se rehúsan a salir o inventan excusas.
Tratamiento	*Argent. Nit.*; *Natrum Mur.*; *Gelsemium*.
Argent. Nit.	Usualmente éste es el remedio más útil cuando está presente un elemento de fuerte ansiedad fóbica.
Natrum Mur.	Éste sigue bien después de *Argent. Nit.* una vez que ha sido atendida la situación fóbica.
Gelsemium	Éste tiene síntomas de ansiedad fóbica menos severos que *Argent. Nit.* y a menudo está presente un elemento de histeria.

Anorexia nervosa

Definición

Pérdida del apetito, rehusarse a comer, se asocia con una imagen distorsionada del cuerpo.

Causas

Profundamente psicológicas en una persona nerviosa, sensible, introvertida e hipocondriaca.

Síntomas

Preocupación obsesiva con las dietas y la pérdida de peso; puede esconder la comida o vomitarla deliberadamente; a menudo es de mala circulación, piel grasosa, hay acné y amenorrea.

Tratamiento

Natrum Mur.; *Silicea*; *Argent. Nit.* En todos los casos la dieta debe ser adecuada y bien balanceada y se debe subir de peso lentamente.

Natrum Mur.

Usualmente es efectiva y ayuda en casi todos los casos.

Silicea

Es útil en un adolescente delgado, pálido y friolento; usualmente las extremidades están frías y sudorosas.

Argent. Nit.

Ayuda cuando está presente un elemento fóbico.

Apendicitis

Definición

Dolor en el bajo abdomen, usualmente está asociado con sensibilidad dolorosa en el área del apéndice.

Causas

Apendicitis sub-aguda, linfadenopatía abdominal, espasmo, estreñimiento.

Síntomas

Dolor, sensibilidad dolorosa en la parte derecha del bajo abdomen, usualmente sin fiebre.

Tratamiento

Lachesis; *Apis*; *Arsenicum*; *Bryonia*; *Rhus Tox*.
Puede ser necesaria la opinión de un cirujano.

Lachesis

La característica del dolor es cortante, empeora al despertar, en el cuadrante del bajo abdomen derecho.

Apis

El dolor es pinchante o ardiente, puede presentarse después de una vacunación.

Arsenicum

La característica del dolor es ardiente, el paciente está inquieto, ansioso, sediento y toma pequeños sorbos de agua; son marcados el escalofrío y el agotamiento. La lengua está roja y limpia.

Bryonia

El paciente está acostado inmóvil y cualquier movimiento o sacudida agrava el dolor.

Rhus Tox.

El paciente está inquieto y en general se siente mejor con el calor y el movimiento.

Caspa

Definición	Una afección superficial de la piel que suelta escamas, sin secreción, generalmente del cuero cabelludo y a veces de los párpados.
Causas	Constitucional, usualmente asociada con una piel seca general. A veces es alérgica.
Síntomas	Resequedad y comezón; puede haber enrojecimiento y una sensación de calor local.
Tratamiento	*Sulphur*; *Calc. Carb.*; *Sepia*; *Lycopodium*; *Arsenicum*. Lavar el pelo con jabón neutro.
Sulphur	Generalmente ayuda, particularmente cuando hay una asociación con acné, escamas y comezón.
Calc. Carb.	A menudo ayuda en ciertos casos de *Calcarea*. Usualmente tienden a sudar en la frente por las noches.
Sepia	Es útil y a menudo se asocia con manchas café oscuro y cambio de coloración de la piel.
Lycopodium	Este remedio ayuda mucho, particularmente cuando hay bastante descamación y una piel muy seca.
Arsenicum	Es útil como tónico del pelo y cuando hay una condición de piel seca escamosa. Siempre son friolentos y están agotados.

Contusiones

Definición	Daño en la superficie del cuerpo, sin afectar la piel, pero que ha roto vasos sanguíneos subcutáneos, con sangrado en los tejidos adyacentes.
Causas	Casi siempre traumáticas, pero muy raras veces espontáneas, cuando el tiempo de coagulación de la sangre está alterada.
Síntomas	Dolor, inflamación, cambio de coloración local.
Tratamiento	*Arnica*; *Conium*; *Ruta*; *Bellis*; *Symphytum* (espinilla); *Hamamelis*.
Arnica	Localmente en loción, también internamente.
Conium	Si son en el pecho femenino.
Ruta	Si está involucrado el periostio (la capa fibrovascular que envuelve los huesos).
Bellis	Un remedio muy útil, particularmente cuando los tendones subyacentes están afectados y hay dolor, agotamiento y debilidad en el área.
Symphytum	Está indicado cuando el golpe ha sido en la espinilla, y ha interesado la delicada envoltura periosteal de los huesos, ocasionando dolor severo y magulladura en el hueso.
Hamamelis	Después del *Arnica* si ésta no ha sido efectiva.

Depresión

Definición	Síntomas depresivos en los adolescentes.
Causas	Psicológicas en un niño sensible, puede ser familiar o constitucional.
Síntomas	Ansiedad, falta de confianza, insomnio, no hay apetito, letargo, no tiene intereses, apático, introvertido, solitario, lloroso.
Tratamiento	*Medusa*; *Lycopodium*; *Natrum Mur.*; *Pulsatilla*; *Argent. Nit.*
Medusa	Éste es uno de los mejores remedios para la depresión en los adolescentes.
Lycopodium	Está indicado para un niño olvidadizo más bien hipocondriaco, que suda raramente, es tímido y que le gustan los alimentos dulces.
Natrum Mur.	Éste ayuda en el caso de un niño más remoto, solitario y nervioso, que evita estar acompañado y usualmente le gusta mucho la sal.
Pulsatilla	Indicado para el niño más cambiante, y emocionalmente inestable que tiene una depresión y disposición llorosa.
Argent. Nit.	Éste puede ser requerido cuando hay un componente fóbico e intolerancia al calor.

Forúnculos

Definición	Hinchazón supurante de la piel y los tejidos subcutáneos, usualmente es dura, redonda y puede reventarse.
Causas	Infección, usualmente circulatoria, alto contenido de azúcar en la sangre, diabetes.
Síntomas	Dolor, punzadas, enrojecimiento, fiebre, inflamación de los ganglios, puede volverse un carbúnculo.
Tratamiento	*Hepar Sulph.*; Tintura de *Hypericum*; *Silicea*; *Belladona*; *Merc. Sol.*; *Sulphur*; *Tarentula*.
Hepar Sulph.	Para madurar el forúnculo.
Tintura de *Hypericum*	Está indicada cuando el área es particularmente sensible al tacto, y el forúnculo está en una parte del cuerpo en donde afecta los nervios finos y periféricos que pasan encima de la hinchazón causando un dolor intolerable.
Silicea	Si se tarda en madurar, o es crónico.
Belladona	Tiene una base dolorsa, caliente, brillante, base inflamada, que está a punto de supurar, antes de que se forme el pus.
Merc. Sol.	Amenaza con volverse pútrido y supurar.
Sulphur	Para prevenir que vuelva a salir.
Tarentula	Dolor agudo, muy severo, pinchante y pulsátil.

Hemorragia

Definición	Hemorragia por causas traumáticas.
Causas	Traumatismo.
Síntomas	Shock, sangrado, palidez, colapso.
Tratamiento	*Arnica*; Tintura de *Calendula*; *Hamamelis*. (Los remedios deben darse cuando la hemorragia ha sido detenida. La primera prioridad es detener el flujo de sangre.)
Arnica	Debe de darse cada quince minutos en potencia de 6 o 30c si hay sangrado arterial o colapso.
Tintura de *Calendula*	Aplicar localmente cuando la hemorragia es arterial. Si es severa, puede requerir ligadura (sutura) quirúrgica.
Hamamelis	Dar internamente en potencia de 6 y como tintura localmente para sangrado venoso (escurrimiento).

Hemorragia dental

Definición

Hemorragia durante, o después de, una extracción dental.

Causas

La extracción dental o tratamiento, pocas veces hemofilia o discracia de la sangre.

Síntomas

Sangrado, tragando coágulos que pueden vomitarse después.

Tratamiento

Tintura de *Calendula*; *Phosphorus*; *Arnica*; Tintura de *Hamamelis*. Taponar, aplicar presión local y tratamiento. Si la hemorragia no cesara, entonces se necesita hospitalizar.

Tintura de *Calendula*

Aplicar localmente si fuera necesario, taponar el orificio con algodón o una tira de gasa delgada empapada en *Calendula*.

Tintura de *Hamamelis*

Ésta es útil para la hemorragia venosa después de una extracción dental, aplique localmente como en el caso de *Calendula*.

Phosphorus

Cuando hay salida de sangre roja brillante.

Arnica

Generalmente ayuda cuando hay shock y debilidad.

Heridas

Definición	Daño a la piel y, si es muy profunda, al músculo subyacente.
Causas	Siempre traumáticas.
Síntomas	Dolor y sangrado.
Tratamiento	Loción de *Calendula*; *Hepar Sulph.*; *Silica*; *Hypericum*; *Arnica*; *Aconito*; *Belladona*.
Calendula	Aplique la loción localmente.
Hepar Sulph.	Si está infectada y supura.
Silica	Cuando hay una secresión purulenta e insana.
Hypericum	Cuando está infectada.
Arnica	Si hay shock.
Aconito	Si está dolorosa y caliente.
Belladona	Si duele, está roja e inflamada, con temperatura y dolor de cabeza.

Hipo

Definición	Breve contracción espasmódica del diafragma.
Causa	Indigestión.
Síntomas	El típico espasmo y ruido del hipo, que dura unos cuantos minutos usualmente.
Tratamiento	*Nux Vomica*; Tintur de *Ginseng*; *Cyclamen*; *Ignatia*; *Mercurius*.
Nux Vomica	Cuando la condición se da antes de las comidas.
Tintura de *Ginseng*	Uno de los remedios más útiles para todas las formas de hipo.
Cyclamen	Cuando está asociado con molestias de respiración y que mejora después de tomar agua.
Ignatia	Cuando el hipo es fuerte y ruidoso.
Mercurius	Cuando el hipo empeora al tomar agua.

Mal aliento

Definición	Un aliento ofensivo y fétido.
Causas	Encías o amígdalas inflamadas e infectadas, excesivos carbohidratos que causan estasis o fermentación en el estómago.
Síntomas	Un aliento de olor ofensivo y pútrido.
Tratamiento	*Nux Vomica*; *Mercurius*; *Carbo. Veg.*; *Pulsatilla; Spigelia.*
Nux Vomica	Tiene aliento ofensivo debido a trastornos de estómago o alcoholismo. Usualmente es irritable.
Mercurius	Tiene aliento muy ofensivo generalmente asociado con mucha sudoración del cuerpo.
Carbo. Veg.	Tiene faltulencia, debilidad, mala circulación y aliento particularmente ofensivo, a menudo por dientes cariados o encías infectadas.
Pulsatilla	Hay aliento ofensivo asociado con indigestión. Como todo en el cuadro de *Pulsatilla*, el mal aliento es también variable y cambiante.
Spigelia	El aliento es ofensivo y la lengua tiene una cubierta blanca o amarilla. Comúnmente está asociado con palpitaciones.

Mal olor corporal

Definición	Sudor y transpiración ofensivos.
Causas	Constitucional, aseo e higiene inadecuados.
Síntomas	Sudoración excesiva, olorosa y a menudo ofensiva.
Tratamiento	*Nux Vomica*; *Calcarea*; *Silicea*; *Mercurius*.
Nux Vomica	Suda profundamente con el ejercicio y las emociones y el sudor puede ser ofensivo.
Calcarea	Tiene un sudor que huele a rancio, a menudo en las manos y la frente.
Silicea	Suda abundantemente, particularmente en las plantas de los pies, que puede ser ofensivo.
Mercurius	Tiene un abundante sudor fétido y ofensivo.

Mareo o cinetosis

Definición	Náusea o vómito a consecuencia de viajar, ya sea por mar, aire o automóvil.
Causas	Constitucional, leer mientras se viaja en auto, sugestión, emocional.
Síntomas	Palidez, náusea, sudoración, arqueo, vértigo, desmayo, debilidad, postración.
Tratamiento	*Cocculus; Nux Vomica; Petroleum; Tabacum; Kreosotum; Borax; Rhus Tox.*
Cocculus	Salivación, empeora con el olor a comida, mejora si se acuesta.
Nux Vomica	Se asocia con estreñimiento e indigestión. Dolor de cabeza estallante.
Petroleum	Náusea, vómito, vértigo. La boca se llena de saliva. Mejora si se toma comida durante el ataque, empeora sentado y con luz brillante.
Tabacum	Está indicado cuando hay debilidad, sudoración, náusea, temblor.
Kreosotum	La principal indicación es la náusea, vómito, arcadas, ardores, sed muy marcada, y las extremidades a menudo están frías. Inquietud.
Borax	(Cuando se viaja en avión.) Empeora con el movimiento hacia abajo y bolsas de aire.
Rhus Tox.	Hay náusea severa, inquietud, que mejora si la persona se acuesta.

Menstruación (comienzo retardado)

Definición	Cuando a la edad de catorce años no ha comenzado el ciclo normal de veintiocho días.
Causas	Constitucional, anemia, stress y nerviosismo, himen no perforado.
Síntomas	Cuando no se logra establecer un ciclo regular, si éste ya ha aparecido, o cuando no ha aparecido en absoluto.
Tratamiento	*Baryta Carb.*; *Bryonia*; *Pulsatilla*; *Veratum Alb.*; *Sepia*; *Aconito*; *Natrum Mur.*; *Sulphur.*; *Cimicifuga.*
Baryta Carb.	Está indicado para periodos que se han retrasado o que tienen una duración muy breve.
Bryonia	Si, en sustitución, hay hemorragia por la nariz.
Pulsatilla	Dolor en el abdomen y espalda, dolor de cabeza y náusea, anemia, palpitaciones.
Veratum Alb.	Se ha suspendido el advenimiento y a menudo se asocia con escalofríos, náusea, vómito y diarrea.
Sepia	Si hay leucorrea.
Aconito	Ha sido suprimido a consecuencia de enfriamiento o susto.
Natrum Mur.	Estreñimiento, enfriamiento, anemia, mujer delgada.

Sulphur	Dolor en el abdomen y la espalda, vértigo, dolor de cabeza pulsátil, estreñimiento.
Cimicifuga	Dolor de cabeza, insomnio, dolor en el pecho izquierdo.

Miedo a los exámenes

Definición	La fobia a presentar exámenes.
Causas	Timidez; inmadurez; falta de confianza; psicológica y puede ser familiar.
Síntomas	Pánico, ansiedad, tensión, dolores en cualquier parte del cuerpo, llanto, comportamiento regresivo con demandas infantiles.
Tratamiento	*Argent. Nit.*; *Gelsemium*.
Argent. Nit.	Éste es el remedio más útil y básico, particularmente cuando hay una intolerancia al calor y trastornos digestivos tales como flatulencia.
Gelsemium	Otro remedio útil, pero usualmente secundario al *Argent. Nit.* Son usualmente débiles y les flaquean las rodillas por el pánico.

"Ojo moro"

Definición

Un traumatismo en la órbita ocular, con cambio de coloración debido a un golpe, habiéndose infiltrado la sangre a los tejidos circundantes por un vaso sanguíneo roto.

Causas

Siempre se debe a un traumatismo agudo en la órbita debido a una caída o un golpe, y puede ser un síntoma derivado de contusión y fractura del cráneo.

Síntomas

Dolor, sensibilidad al tacto, inflamación alrededor del ojo, que puede ser lo suficientemente severa como para afectar la visión del ojo lastimado.

Tratamiento

Loción de *Arnica* aplicada localmente, en un principio; *Arnica* internamente; Loción de *Hamamelis* aplicada localmente cuando la coloración es más marcada; *Ledum*; *Ruta*.

Loción de *Arnica*

El mejor remedio para el magullamiento, hinchazón y dolor debidos a la hemorragia subcutánea de los tejidos subcutáneos.

Arnica

También es aconsejable tomar *Arnica* internamente por unos días hasta que el magullamiento y la hinchazón se hayan pasado completamente.

Loción de *Hamamelis*	Este remedio se puede usar localmente después del *Arnica*, si el área roja y azul no ha desaparecido después de algunos días. Tiene una acción específica para todas las hemorragias venosas y ayuda a su reabsorción.
Ledum	Es otro remedio útil para inflamaciones sensibles, dolorosas y calientes y puede complementar al *Arnica*.
Ruta	Un remedio útil y tónico para los ojos. Úsese especialmente cuando ha habido magulladura severa de los músculos circundantes y de la cara.

Panadizo (uñero)

Definición	Una infección supurativa localizada en la punta de los dedos o a los lados de la uña.
Causas	Una cortada o lesión a menudo sin importancia que introduce la infección recurrente.
Síntomas	Dolor pulsátil, calor, secreción purulenta, la uña puede estar levantada o se puede caer; la infección puede subir hacia el brazo, involucrar el hueso y los ganglios axilares.
Tratamiento	*Silicea*; *Belladona*; *Mercurius*; *Hepar Sulph.*; *Lachesis*; *Arsenicum*.
Silicea	El remedio de los viejos homeópatas para la "madre del pus" y está indicada cuando hay un estado purulento localizado no agudo. La *Silicea* limpia cabalmente y drena naturalmente el área.
Belladona	Indicado si hay mucha inflamación y fiebre.
Mercurius	Está indicado para una infección aguda y dolorosa y sensible, cuando hay ganglios dolorosos en la axila, o cuando hay infección de los linfáticos con rayas rojas a lo largo del brazo.
Hepar Sulph.	Cuando hay una infección severa.
Lachesis	Si el dedo está azuloso.
Arsenicum	Ardor, el dedo está negruzco, hay postración.

Pelo grasoso

Definición	La condición crónica o recurrente del pelo lacio y grasoso.
Causas	Dietéticas, ingestión excesiva de carbohidratos; constitucional; falta de higiene personal.
Síntomas	Como se mencionó arriba, a menudo está asociada con la piel insana, cerosa y acné.
Tratamiento	*Thuja*; *Kali. Sulph.*; *Pulsatilla*; *Lycopodium*. Una dieta y una vida más balanceadas; lavar el pelo con jabón neutro.
Thuja	En general un remedio útil para esta condición.
Kali. Sulph.	A menudo éste puede aliviar el problema completamente.
Pulsatilla	Ayuda cuando el problema está peor antes del periodo menstrual.
Lycopodium	A menudo éste es un remedio útil para cabello desvitalizado, grasoso y opaco.

Pubertad retrasada

Definición

Falta de desarrollo de las características sexuales secundarias, el vello del pubis, senos y menstruación, en el momento en que esta persona en particular lo esperaba.

Causas

Desarrollo retrasado, puede ser pequeño de estatura; puede ser familiar.

Tratamiento

Baryta Carb.; *Sabal Serr.*; *Silicea*; *Calcarea*. Siempre ayuda en estos casos dar inicialmente el remedio constitucional en alta potencia como un estímulo para el desarrollo normal.

Baryta Carb.

Éste es un remedio útil para inmadurez y desarrollo retrasado.

Sabal Serr.

Ayuda cuando el desarrollo de los senos es retrasado e inadecuado.

Silicea

Este remedio puede ser muy útil para los adolescentes pequeños y rubios con mala circulación periférica, friolentos, y que sudan profusamente de las extremidades.

Calcarea

Es útil cuando el cuadro es predominantemente del tipo de *Calcarea*. Usualmente todas las etapas han sido retrasadas o tardías durante la niñez.

Quemaduras

Definición	Lesión de la piel y tejido subcutáneo, debido al efecto del calor radiante o directo sobre el área afectada.
Causas	Exposición excesiva al sol, utensilios eléctricos para el hogar, escaldadura.
Síntomas	Dolor, enrojecimiento, formación de ampollas congestión, infección.
Tratamiento	*Cantharis*; *Urtica*; *Sulphur*; *Arnica*; *Hypericum*. A menos que la quemadura sea muy ligera, ésta debe ser atendida por un médico.
Cantharis	Para el dolor, particularmente cuando se han formado ampollas y hay dolores ardientes, con la piel roja y que se está desprendiendo.
Urtica	Local e internamente, cuando es menos severa que la quemada de *Cantharis*, pero sin embargo la formación de vesícula y la hinchazón son marcadas.
Sulphur	Está indicada para escaldaduras y quemaduras ligeras, de naturaleza menor y localizada, y reacción de la piel inflamada, rojo brillante y escarlata. Usualmente sigue a *Cantharis*.
Arnica	Para el shock, cuando es severo. Puede haber colapso y falla de los riñones, y debe considerarse la hospitalización urgente. Hay que mantener al paciente caliente y abrigado. Pueden ser necesarias bebidas calientes si se ha enfriado.

Hypericum

Aplicado localmente, excepto en los casos más severos, en que es mejor evitarlo, y hay que tener las quemaduras cubiertas con lienzos limpios, hasta que se pueda organizar un tratamiento hospitalario en una unidad especial para quemados.

Raspones

Definición	Daño a la piel como por una caída, la principal lesión a un nivel superficial y que no involucra tejidos más profundos.
Causas	Traumáticas.
Síntomas	Dolor, escozor, magulladura, sangrado superficial.
Tratamiento	Tintura de *Hypericum*; *Hypericum*; *Arnica*. El área se debe limpiar totalmente y quitar cualquier partícula extraña.
Tintura de *Hypericum*	Aplicar localmente y cubrir con un vendaje limpio, preferentemente estéril.
Hypericum	Se puede tomar dos veces al día durante tres días.
Arnica	Util para el shock y magulladura o área amoratada.

140

Sonrojo

Definición — Bochorno súbito y espontáneo, de las mejillas, cuello y cara en una situación emocionalmente importante.

Causas — Turbación; timidez; constitucional; inmadurez; inexperiencia; familiar.

Síntomas — Calor; enrojecimiento; incomodidad; turbación; timidez; puede haber sudoración.

Tratamiento — *Phosphorus*; *Pulsatilla*; *Natrum Mur.*; *Ferrum Phos.*

Phosphorus — El adolescente es delicado, de huesos largos y abierto pero nervioso, hipersensible y constantemente necesita afirmación. Se abochornan con facilidad y tienen a menudo una gota de sudor característica, justo sobre el labio superior.

Pulsatilla — Éste es uno de los mejores medicamentos para el sonrojo de origen emocional en un adolescente tímido. Necesitan afirmación, sentirse aprobados y atención. Fácilmente irrumpen en lágrimas.

Natrum Mur. — Otro remedio útil para adolescentes nerviosos y tensos, inseguros de sí mismos, turbados y que nunca acaban de sentirse relajados y naturales en cualquier situación social.

Ferrum Phos. — Otro remedio útil para palidez y súbito sonrojo en situaciones nuevas o tensas. Son un poco menos sensibles a las impresiones externas que los de *Phosphorus*.

Timidez

Definición	Conciencia excesiva de uno mismo, falta de confianza en uno mismo y una tendencia a sustraerse de la vista del público.
Causas	Temperamental. A menudo de origen familiar.
Síntomas	Turbación, molestia, torpeza, sonrojo, timidez; empeora en una situación nueva, inesperada o poco conocida.
Tratamiento	El remedio constitucional de la persona; *Lycopodium*; *Argent. Nit.*; *Natrum Mur.*; *Pulsatilla*.
Lycopodium	Ayuda cuando la persona gusta de estar sola, pero necesita que haya gente en la casa y no muy lejos. Generalmente son bastante tímidos e inseguros, pero responden bien si se les apoya y estimula.
Argent. Nit.	Útil cuando hay un elemento fóbico y siempre empeora con el calor.
Natrum Mur.	Mucho más solitario e independiente que *Lycopodium*, siempre están nerviosos e inseguros en cualquier situación social y nunca son verdaderamente capaces de relacionarse completamente o integrarse a lo que está pasando a su alrededor.

Pulsatilla

La persona rubia, tímida, condes-
cendiente y plácida, ansiosa de agradar, llora fácilmente, necesita compañía y estar segura de que se le quiere
y se le acepta. Puede cambiar rápidamente de la timidez a la testarudez
obstinada. Se siente peor en una habitación caliente y necesita una ven-
tana abierta o espacio fresco.

3

ENFERMEDADES AGUDAS DE LAS PAREJAS ADULTAS

Éste puede ser uno de los periodos más activos y presionados de la vida. Las parejas están inmersas en y preocupadas por resolver las necesidades básicas de la familia: comprar una casa, negociar la hipoteca, localizar escuelas y planear el futuro juntos, y les queda poco tiempo para el descanso y el ocio. Sin embargo, ésta también es un época en que la gente experimenta un sentimiento arrollador de bienestar físico y mental.

Después de la turbulencia de la adolescencia, la joven pareja tiene la posibilidad de sostener una mejor relación con sus padres desde un punto de vista más igualitario. Muchas de las frustraciones y dificultades de los años de la adolescencia han quedado atrás y se puede establecer un contacto amistoso de mutuo apoyo, que hace que se esperen las visitas con gusto. Naturalmente esto varía con los temperamentos individuales, los niveles de tolerancia y con los patrones de las relaciones anteriores.

Casi todas las parejas experimentan una sensación de salud y energía boyante, que se refleja en sentimientos de gozo, vitalidad y realización. A menudo se da un sentimiento de invulnerabilidad, en la medida en que la energía, alimentada por el impulso sexual, provoca una sensación adicional de poder y fuerza. Aunque queda muy poco tiempo para hacer una pausa y pensar, parece imposible que puedan presentarse problemas de salud que vengan a frenar esta corriente de lo que en apariencia es una energía sin límites. Sin embargo, aun la joven pareja aparentemente saludable puede desarrollar enfermedades leves y cortas, y no es inmune a las infecciones virales severas que pueden causar enfermedades graves, como meningitis o bronconeumonía. Es a menudo después de tales enfermedades graves, que se pone a prueba el mito de la invulnerabilidad adolescente y finalmente estalla, provocando actitudes más adultas y maduras.

A menudo las parejas necesitan apoyar a otros miembros de la familia. Los contratiempos e infecciones de sus propios hijos necesitan cuidado y apoyo, y cuando los padres o abuelos viven cerca, también pueden necesitar ayuda.

Muchos accidentes que requieren primeros auxilios se dan en escaleras, al emplear herramientas, equipo mecánico y hacer deportes. Las lesiones menores responden rápidamente a los remedios de primeros auxilios como el *Arnica*, *Calendula*, *Hypericum* y *Bellis Perennis*. Las laceraciones extensas, heridas infectadas o quemaduras severas requieren hospitalización y consejo especializado.

La fiebre del heno, catarro y dolor de garganta recurrente pueden afectar a los padres lo mismo que a los niños, en los primeros como continuación de un problema de la niñez o adolescencia. Todas estas condiciones se agravan si hay calefacción en la oficina o en la casa. En los edificios modernos sobrecalentados, es bueno usar un humidificador y poner el termostato de la recámara algunos grados más bajos que el del cuarto de estar. Usualmente hay una buena respuesta a los remedios recomendados, como *Pulsatilla*, *Kali. Carb.*, *Phytolacca* y *Sulphur*.

La tos y los resfriados son comunes en los adultos, particularmente cuando están bajo alguna presión. Una infección severa puede provocar complicaciones del pecho tales como as-

146

ma, bronquitis o neumonía. Si el joven adulto fuma en exceso, después de muchas trasnochadas o de un aumento de presión en el trabajo, súbitamente puede ponerse agudamente enfermo y verse obligado a reposar, habiendo sido el único aviso la fatiga y la falta de energía. Cuando hay una infección aguda del pecho es necesario quedarse en cama y para estimular una rápida recuperación hay que usar los remedios clásicos para los pulmones, como *Bryonia, Phosphorus, Ant. Tart.* y *Spongia*.

Los trastornos digestivos sobrevienen ya sea por indiscreciones dietéticas o por infección. La mayoría de tales problemas son temporales, y comúnmente sobrevienen después de un periodo de indulgencia o cambio de hábitos alimenticios. Se obtiene una respuesta positiva con *Nux Vomica, Carbo Veg., Lycopodium, Arg. Nit.* y *Pulsatilla*.

El joven adulto sobreesforzado, que sobrevive con comidas enlatadas, preempacadas y apresuradas, a la larga puede desarrollar una úlcera gástrica o duodenal. Los principales síntomas son dolor con molestia y náusea después de las comidas, que se alivian temporalmente comiendo algo. Frecuentemente el problema es de larga duración si hay una tendencia de origen familiar a los desórdenes digestivos, y un ataque puede ser consecuencia de un periodo de presión emocional poco común. La vida social y la diversión pueden restringirse debido a que las comidas tienen que ser reducidas, regulares y preparadas con cuidado durante el tratamiento. Esto puede llevar a más limitaciones y frustración. Se necesita pensar y reconsiderar cuidadosamente toda la manera de enfrentar el trabajo y los compromisos. Cuando esto se combina con el remedio apropiado como *Kali. Carb., Ornithogalum* o *Nux Vomica*, se puede lograr una respuesta curativa.

Los ataques de diarrea y envenenamiento por alimentos pueden afectar a toda la familia. Generalmente no duran mucho y sólo son peligrosos para el bebé por el riesgo de deshidratación. La colitis es un problema mucho más serio que se da a partir de la niñez. En este caso hay una diarrea recurrente a menudo con moco y sangre, que puede continuar por muchos años y, cuando es severa, causar debilidad y colapso. Un paciente con colitis tiende a callarse y encerrarse, hasta que la tensión es intolerable. Entonces esas tensiones se expresan en brotes cortos de ira y lágrimas; aunque algunos, aun con grandes provocaciones, reprimen aun más los sentimientos y no se expresan. La enfermedad es una desventaja, y en los casos severos en que ha durado mucho tiempo, puede ser necesaria una intervención quirúrgica. La respuesta a la homeopatía es positiva, y son particularmente útiles el *Podophyllum* o el *Ácido Fosfórico*. No es conveniente que la colitis sea atendida por la familia, porque es una condición potencialmente peligrosa y, al menos en la fase aguda, requiere atención médica.

El estreñimiento es muy común y de larga duración, particularmente en las mujeres, que a menudo empiezan a tener problemas durante el embarazo. Se agrava si no se le presta la debida atención a comer regularmente y hacer ejercicio, cuando se lleva una vida apresurada y presionada. Una causa frecuente es la sensibilidad al aluminio, particularmente cuando se han usado utensilios de este metal durante mucho tiempo, y también es común ver un eczema atípico y ojos con comezón que se asocian con este tipo de estreñimiento. El aluminio homeopático en la forma de *Alumina* es curativo, pero en todos los casos es importante dejar de usar laxantes y remedios artificiales con el fin de estimular un retorno de la función normal de los intestinos. Se recomienda el uso de fibra adicional en la forma de salvado para dar volumen a las evacuaciones; una cucharada es suficiente en casi todos los casos. La *Nux Vomica* o la *Bryonia* deben ayudar, dependiendo del patrón de evacuación, y el tipo de estreñimiento de que se trate. Cuando el problema es de larga duración, el periodo de reentrenamiento de los intestinos puede llevarse algunos meses antes de que el problema sea finalmente solucionado.

El reumatismo ligero es común en esta edad, particularmente después de un periodo de súbita humedad o frío. Sin embargo, la artritis inflamatoria aguda es una dolencia severa e incapacitante más común en las mujeres jóvenes que en los hombres. Frecuentemente hay problemas de personalidad subyacentes con sentimientos reprimidos de ira, frustración y resentimiento que se controlan estrictamente con todos los otros aspectos de la personalidad. Ésta es otra enfermedad que es mejor que sea atendida por el médico durante la fase aguda. Los remedios más útiles incluyen el *Medorrhinum, Belladona, Rhus Tox., Staphysagria* y *Causticum*.

Muchas de las infecciones agudas comunes de la niñez también se pueden presentar en la edad adulta, por ejemplo, las paperas que pueden ya sea contraerse por el contacto con un niño infectado, o bien ser un caso aislado y esporádico. Comparado con la dolencia mucho más trivial de la niñez, la enfermedad en los adultos es frecuentemente más severa. Sube mucho la temperatura, los ganglios se ven afectados y sobreviene la postración. Se puede evitar totalmente el riesgo de complicaciones si se usa el nosode específico para las paperas. Éste es el equivalente homeopático de una vacuna específica para las paperas.

La varicela infantil no es muy común en los adultos, pero puede darse en la forma adulta que es el herpes zoster y es más severa. Los nervios superficiales son infiltrados por el virus y la erupción típica se desarrolla con dolor, ampollas y ulceración. Se obtiene una respuesta positiva con Varicella, el nosode específico para la varicela.

La rubeola es más peligrosa en las primeras semanas del embarazo y debe evitarse su contacto. Si hay algún riesgo, ya sea por contacto o por una epidemia, se recomienda el nosode específico para la rubeola. La fiebre ganglionar puede ser una enfermedad larga que requiera un periodo largo de convalescencia. La combinación del nosode específico y el remedio apropiado para los síntomas individuales, en la medida en que se presentan, estimula la curación.

Los periodos menstruales pueden ser dolorosos o irregulares por muchas razones. A menudo ha habido un problema desde la adolescencia temprana y no se ha establecido un ciclo regular. Pueden ocurrir trastornos como complicación con los métodos anticonceptivos que se estén usando, y ya sea dispositivo intrauterino o la "píldora" pueden provocar problemas. En todos los casos se recomienda, antes de empezar el tratamiento, pedir consejo profesional y hacerse un examen para un diagnóstico apropiado de la causa subyacente. Algunas mujeres, a partir de los treinta años, experimentan un cambio particularmente cuando su menstruación empezó temprano. Para periodos irregulares o problemas de menopausia, se obtiene una respuesta rápida con *Pulsatilla*, *Sepia*, *Lachesis*, *Calcarea* y *Sabadilla*.

Las hemorroides y venas varicosas son una complicación frecuente del parto, a menudo asociada con estreñimiento. Es importante poner atención a la dieta y ejercicios, tales como caminar o nadar, ayudan a prevenir una circulación perezosa. En casi todos los casos, hay una respuesta positiva al *Aesculus*, *Hamamelis* y *Carbo Veg*.

Durante el embarazo puede haber una amenaza de aborto, en cuyo caso se requiere un periodo de descanso y consejo especializado. La respuesta al *Veratum Alb*. es a menudo específica y estabiliza el útero embarazado. Para problemas de infertilidad la *Silicea* es valiosa, y es mejor que se dé junto con el remedio constitucional del individuo. Con el fin de permitir que la fertilidad se mantenga a un nivel óptimo, siempre es esencial que se mejore la salud en general de la pareja. Cuando hay un problema mecánico, quizá adherencias en las trompas de falopio, la cirugía u otros tratamientos se pueden combinar con el remedio homeopático. Durante el embarazo, muchas mujeres evitan instintivamente cualquier cosa que pueda hacer daño al feto que se está desarrollando, y pierden el gusto por los cigarros y el café. Otras parecen ser inconscientes de los peligros y son insensibles a los riesgos que puede correr su salud y la del bebé.

Muchas madres prefieren amamantar a sus bebés, estimulando así su salud y sintiéndose satisfechas psicológicamente. Amamantar es un proceso natural que estimula fuertes sentimientos de acercamiento y afecto al infante. Si llegara a haber dificultades, el remedio homeopático puede lograr una rápida respuesta. Sin embargo, para la mayoría son pocos los problemas y muy raras veces se infecta un pecho o se desarrolla un absceso, y en este caso se cura con *Belladona*.

Un segundo embarazo tiene implicaciones psicológicas importantes para la familia. Es particularmente importante preparar al primer hijo, que está vulnerable, desde un principio, y siempre compartir los planes y el entusiasmo para estimular un sentimiento de confianza y participación. Esto refuerza la confianza en sí mismo natural del niño y es un fuerte indicio del amor y el afecto de los padres que es necesario muy particularmente en este momento. Durante otros embarazos, hay que estimular a todos los hijos para que sientan que tienen una parte en el proceso. Debe acentuarse siempre la importancia que hay que darle a cada hijo individualmente, haciendo del gozo de acrecentar la familia, una experiencia compartida. Durante las últimas semanas del embarazo, el *Caulophyllum* es valioso para asegurar un parto fácil y sin contratiempos, al estimular el tono uterino a su punto óptimo.

Es común que la pareja experimente una pérdida de interés sexual en algún momento de la relación. Por muchas y complejas razones, hay un ritmo y una variación natural en la fuerza del deseo que es perfectamente natural y normal. Una apertura amistosa minimiza la ansiedad por estas fluctuaciones y evita que se desate un problema debido a malos entendidos o miedo. Así, un periodo de aparente impotencia o frigidez puede ser de poca importancia cuando se atiende de una manera abierta y tranquila. Naturalmente, enfrentar el problema con insensibilidad, agresividad o torpeza, puede convertir una fluctuación natural en un patrón fijo de dificultad sexual. Cuando el remedio apropiado se combina con un enfrentamiento sensato entre los dos compañeros, se vuelve rápidamente a la normalidad.

La obesidad afecta seriamente al corazón y a la circulación y hoy en día es una de las principales causas de enfermedad. Disminuye la eficiencia general del corazón y órganos vitales y es un factor importante en el desarrollo de la diabetes, trastornos de la vesícula biliar y problemas de la presión arterial y la tiroides. El peso extra del cuerpo también disminuye la capacidad de reaccionar a cualquier emergencia de tráfico y aumenta los peligros de accidentes de carretera, que es hoy una de las causas más comunes de mortalidad.

La tensión arterial alta o hipertensión puede darse en cualquier edad, a menudo después de un periodo de stress y esfuerzo. Es un peligro para la persona con sobrepeso y que trabaja demasiado, hace poco ejercicio y descuida sus necesidades dietéticas y psicológicas. La presión arterial se atiende mejor con prevención y debe tomarse en serio cuando ha sido diagnosticada. En caso de obesidad es esencial una dieta reductiva cuidadosamente controlada. En una persona delgada, la dieta es menos importante y la clave del tratamiento está en una prescripción adecuada. Los remedios más importantes incluyen *Natrum Mur.*, *Iycopus*, *Spartium* y *Crataegus*. Sin embargo, es mejor que la hipertensión sea atendida por el médico, por los peligros de las complicaciones secundarias.

Los infartos son cada vez más comunes en los jóvenes adultos y usualmente sobrevienen después de un periodo largo de esfuerzo emocional y físico. En todos los casos es necesario replantear el estilo de vida y las prioridades tan luego como pasa la convalescencia. Los problemas financieros y de trabajo deben tomar un lugar secundario a la urgente necesidad de aprender cómo enfrentarse de una manera relajada a los muchos esfuerzos inevitables de la vida moderna. Una vida tranquila y rítmica es ideal, combinada con un programa de ejercicio regular y una dieta saludable y balanceada, evitando los largos periodos de fatiga mental y física. Después de una operación, enfermedad aguda o después de un prolongado periodo de dieta o ayuno, casi siempre el cuerpo está débil y más bajas las reservas. Es particularmente imprudente forzar demasiado el sistema en este momento o cuando hay cualquier tensión adicional. Esto incluye el periodo de preparación para unas vacaciones largamente merecidas, cuando mucha gente trabaja horas extra en un momento en que ya es necesario parar.

Es común que una enfermedad ocurra durante las vacaciones, y son frecuentes la recurrencia de un problema crónico de la espalda, o un resfriado severo. Para todos nosotros son necesarios los descansos regulares por el bien de la salud, y un cambio puede ser algo bastante sencillo: quizá un atardecer tranquilo en la casa o un fin de semana fuera, de tiempo en tiempo. Las vacaciones tradicionales en condiciones agobiantes, en un clima de calor opresivo, pueden minar la salud más que mejorarla. La prioridad siempre debe ser un escape de la rutina; y si se evitan las actitudes poco sanas, puede eliminarse el fundamento de muchas de las enfermedades crónicas.

Mucha gente goza del sol y el calor durante horas sin fatigarse. Otros, particularmente los del tipo *Pulsatilla* son muy sensibles al calor y sufren con él. Para mucha gente es dañino el calor excesivo y la exposición al sol, especialmente cuando están débiles o anémicos. Las quemaduras severas, insolación, dolor de cabeza y colapso cardiaco, todo esto puede ocurrir como complicación de la exposición directa a los rayos del sol.

Muchas dolencias de nuestra sociedad actual son el resultado de presiones intolerables e impulsos competitivos. Es cada vez más común ver a las parejas que trabajan largas horas sin necesidad y sin el descanso apropiado, en un trabajo que les ofrece poca satisfacción o prospectos de promoción. A menudo el trabajo está lejos de la casa y de la comunidad, y requiere un fatigoso viaje. Todas estas tensiones y presiones combinadas con una dieta poco sana y la carencia de un ocio creativo, contribuyen a un nivel preocupante de enfermedad y ausentismo. Esto se refleja claramente en los problemas cada vez más comunes de depresión, migraña, piedras en la vesícula, presión arterial, insomnio y divorcios, que se ven en el consultorio de cada doctor. Una complicación más es la demanda que hay de medicamentos paliativos que a menudo provocan fuertes reacciones secundarias.

Se podrían prevenir muchas enfermedades si se pusiera más atención a la higiene y a la calidad de la dieta y la comida en general. Debería mantenerse al mínimo la cantidad de alimentos enlatados e instántaneos, particularmente aquellos que contienen aditivos dañinos, preservativos y colorantes. El consumo excesivo de alimentos dulces puede provocar debilidad y adicción y estimular una reacción hipoglucémica o de baja azúcar en la sangre, causando debilidad recurrente y colapso. Igualmente puede ser dañino el exceso de sal, ya sea marino o no. Esta ingestión compulsiva y adictiva de algunos alimentos es valiosa para completar el cuadro homeopático del individuo y es una guía importante para prescribir. Los excesos de cualquier tipo siempre son dañinos puesto que minan de las valiosas reservas del cuerpo, que pueden tardar varios meses en reponerse. El ejercicio vigoroso repentino, que no forma parte de un programa de entrenamiento planeado puede ser dañino; y el esfuerzo de cuidar a un pariente o amigo enfermo, o trabajar largas horas sin descanso, también puede tener un alto precio. Cuando están bajas las reservas, *China*, *Ferrum Phos.*, *Phosphorus* o *Arnica* ayudan a restaurar los niveles normales.

Para mucha gente, el alcohol en cantidades moderadas es estimulante y provoca un efecto tónico agradable. Sin embargo, como cualquier otra cosa que se toma en exceso, también es un veneno que puede inhibir severamente el sistema nervioso y dañar otros órganos. A menos que se tome con apreciable moderación, el hábito de beber es una causa frecuente de depresión y disgustos, que a menudo provoca muchas desdichas. Se podrían evitar muchas enfermedades si el alcohol se consumiera con más moderación. Su consumo excesivo es una causa importante de obesidad, pues incrementa el nivel de grasa circulante en la corriente sanguínea, aumenta el riesgo de enfermedades coronarias e hipertensión. Cuando el alcohol es un problema, esto debe discutirse cuidadosamente entre los dos, para ver si las causas del exceso se pueden evitar en el futuro. Las tensiones de trabajo y algunas ocupaciones a menudo aumentan la oportunidad de beber, haciendo que el problema sea más difícil de controlar y tratar. El consumo de alcohol se suma a la dificultad de encontrar una manera lógica y razonable de curarlo, porque éste tiene un efecto nocivo en el juicio y la razón. A menudo la *Nux Vomica* ayuda a reducir las tensiones subyacentes, pero frecuentemente la curación sólo puede darse con una combinación de apoyo paciente y comprensivo, y un esfuerzo decidido de la voluntad, basado en el conocimiento del daño que la sustancia está causando.

Muchas gentes jóvenes están bajando el consumo, o dejando de fumar totalmente, al darse cuenta de la naturaleza del apego al vicio. A menudo éste es una muleta psicológica y como todas las muletas tiende a minar y debilitar, más que a fortalecer.

Para cualquier mujer que toma la píldora, fumar implica un peligro más, pero especialmente si tiene más de treinta años, cuando aumentan los riesgos serios de efectos secundarios en el sistema circulatorio. Si hay una tendencia a tener problemas crónicos del pecho, particularmente asma o bronquitis, es prudente reducir el consumo. Igualmente hay que dejar de fumar totalmente antes de una operación y durante la convalescencia. Muchos casos de hernia y dolor de espalda crónico se agravan con la tos del fumador, y es un factor significativo en muchos casos de cáncer pulmonar y de enfermedades del corazón. Fumar también puede provocar complicaciones durante el embarazo, provocando que el bebé nazca significativamente más pequeño. También puede haber complicaciones durante el parto, y a menudo la placenta que provee el alimento vital y el cordón umbilical están menos desarrollados.

Muchas parejas ahora se dan cuenta de que es indeseable el uso prolongado y repetitivo de las drogas, particularmente los tranquilizantes, antidepresivos, sedantes y los esteroides. Ayudan por un tiempo a aliviar síntomas, pero la dolencia subsiste o queda oculta y a menudo reaparece después en forma crónica. Muchas de éstas drogas son muy adictivas y, a causa de sus efectos secundarios, crean más problemas que la dolencia original. Como la acción de éstas es suprimir o bien empujar la dolencia original más profundamente en el cuerpo, a menudo hay reacciones de fatiga y malestar. Entonces no se da un verdadero cuadro y expresión de la enfermedad básica, y la natural respuesta curativa es débil y disminuida, de tal manera que no es fácil hacer un diagnóstico homeopático preciso. De igual manera, a menos que existan indicaciones médicas definitivas, es dañino el uso prolongado e indiscriminado de vitaminas y supresores del apetito. En todo caso, nunca es recomendable autorecetarse.

Las diferencias individuales de temperamento pueden provocar dificultades a la pareja y a menudo la homeopatía puede ayudar a tratarlas. El *Lycopodium* puede estar indicado para aquellos que dejan todo hasta el último minuto, particularmente cuando existe un marcado sentimiento de inseguridad. Estas personas retrasan las citas y los arreglos de negocios lo más posible: hay un miedo a los compromisos, a la organización y a ser presionado. Para una personalidad más exigente, inquieta y supercontrolada el remedio de preferencia es frecuentemente el *Arsenicum*. La supereficiencia aunada a la incapacidad de delegar, y un marcado sentimiento de irritabilidad y presión, aun cuando se está de vacaciones, indica como remedio *Nux Vomica*.

A veces es inevitable para todos nosotros algún grado de depresión, tensión y pérdida de confianza, dadas las limitaciones de nuestra sociedad tan presionada. Un estado de tensión depresivo definitivo o una enfermedad fóbica sólo se desarrollan cuando el individuo pierde el contacto con sus necesidades humanas básicas de comunicación, comprensión, confianza y seguridad. Cuando existe un sentimiento de aislamiento y una incapacidad de compartir las preocupaciones siempre hay un riesgo de que estos miedos se tornen más severos y se vuelquen en síntomas de una enfermedad. Una buena relación compartida, permite que los problemas se discutan de una manera natural y abierta, poniendo en perspectiva los temores y ansiedades.

Los problemas mentales severos entran en la competencia del especialista, particularmente cuando existe tendencia a la excitación maniática y trastornos alucinatorios. Usualmente se requiere un periodo de descanso en un hospital o clínica, durante una fase particularmente trastornada o violenta. Cuando se trata de un problema severo, frecuentemente ayuda la psicoterapia para asegurarse que los problemas subyacentes broten a la superficie. También puede requerirse ayuda especializada cuando hay un trauma emocional, quizá debido a un asalto físico, o a un periodo de aflicción aguda, o cuando un accidente grave con una lesión mutilante produce un estado de shock. En general, cuando se ha diagnosticado la causa del trastorno mental y la familia lo ha enfrentado con sensatez y apertura, a menudo se logra una respuesta muy positiva a los remedios homeopáticos. Cuando existen antecedentes de una buena relación dentro de la familia, y de apoyo paciente y confianza, muchos de estos traumas no se enraizan permanentemente. Los remedios más valiosos para aliviar las tensiones y el stress de la mente trastornada son *Natrum Mur.*, *Lycopodium*, *Pulsatilla*, *Gelsemium*, *Ignatia* y *Nux Vomica*. El médico debe recetarlos en alta potencia para estos problemas.

Todas las parejas necesitan escucharse mutuamente, evitando la tentación de llegar a conclusiones inmediatas sobre los motivos e intenciones del otro. Es muy poco realista esperar que cada uno se comporte de una manera lógica y consistente todo el tiempo. Desde luego que es perfectamente normal que el hombre y la mujer tengan un comportamiento al mismo tiempo rítmico y variable, y es básico para cualquier relación comprender esto. Los intentos de imponer un sistema de patrones rígidos sobre el otro generalmente fallan y llevan a peores malos entendidos. Tales demandas a menudo no son más que intentos débilmente disimulados de imponer patrones familiares de seguridad, enraizados en el pasado, que no tienen nada que ofrecer al compañero en términos de crecimiento y comprensión mutuos. Estas actitudes son dañinas, y cualquiera de los dos puede quedar atrapado, solitario y aislado, e incapaz de expresar ya sea odio o amor. Si se escucha con cuidado, se evitan estos problemas y se ayuda a combatir los peligros de los malos entendidos y desavenencia. Con paciencia, pueden lograrse cambios de actitudes, sin importar qué tan difíciles y temibles parezcan al principio.

Siempre el mejor tratamiento es la prevención tanto para las enfermedades mentales como para las físicas. Es esencial una visión balanceada y sensata de las necesidades, tanto de la mente como del cuerpo. Al mismo tiempo es básico valorar las metas y las prioridades y la visión de la vida. Tanto los aspectos mentales del ser humano como los físicos, son inseparables, y cuando se pone atención a ambos, se hace posible avanzar, y eventualmente alcanzar un nivel más alto de salud y bienestar.

Algunos casos típicos

Un paciente de treinta y siete años tenía una historia de dolor crónico intermitente en la espalda baja durante los últimos veinte años. Había recibido varios tratamientos a través de los años incluyendo masajes. Cuando lo vi, su espalda estaba completamente agarrotada y rígida, de tal manera que apenas podía caminar y había descansado en cama durante los diez días anteriores sin sentir alivio. El dolor le había sobrevenido en el automóvil, al agacharse en un ángulo difícil para ajustar uno de los asientos. El dolor empeoraba si descansaba, especialmente sentado, y definitivamente el calor le ayudaba. Tenía muy sensible la región sacroiliaca derecha, y mucho espasmo en los músculos que soportan la espina a cada lado de la columna vertebral. Estaba muy inquieto y agitado mental y físicamente; se bajaba de la cama para de inmediato volverse a acostar. Le dimos *Rhus Tox. 10M*, y después lo mismo en potencia baja cuatro veces al día. Esto lo mejoró, de tal manera que al día siguiente ya podía voltearse en la cama y dos días después estaba definitivamente mejor y se podía sentar y moverse con más facilidad. En el sexto día estaba 70 por ciento mejor y podía sentarse a ratos. Todavía tenía mucha tensión en la espalda pero menos dolor. Una semana después reportó que estaba estreñido y que se sentía bastante irritado en la casa. Había dejado de mejorar aunque no había recaído. Se le volvió a dar *Rhus Tox. 10M* y después *Nux Vomica 6c* tres veces al día. Esto provocó mayor mejoría y un completo retorno al trabajo y a la actividad completa.

***

El siguiente caso fue una mujer casada de treinta y seis años con sinusitis crónica que le había durado cuatro años. La secreción era constante, la nariz nunca dejaba de escurrir una secreción mucosa que variaba de amarillo cremoso a transparente. Tenía la nariz muy lastimada, roja, manando constantemente y sangraba muy a menudo. La piel alrededor de la nariz estaba roja, sensible y escoriada. Aparte de la sinusitis severa, su salud en general era buena. Le recetamos 10M de *Pulsatilla*, por la naturaleza variable de su secreción, su falta de sed en general, su carácter de trato fácil, la congestión más o menos severa, con venas varicosas, una tendencia a los resfríos y retención, y su preferencia al aire libre y fresco, más que al sol.

El resultado no fue satisfactorio, y debido al insomnio que tenía por el catarro que la despertaba a las 4:00 a.m. le dimos *Kali. Bich. 10M*. Nuevamente no hubo respuesta: la secreción se volvió transparente, mucosa y continua y sangraba por sonarse ininterrumpidamente. Administramos *Allium Cepa*, lo que trajo una ligera mejoría, pero no una respuesta satisfactoria y clara. Entonces le dimos *Sulphur* por su cara roja y apariencia más bien desarreglada y su falta de respuesta a los remedios. Una semana después del *Sulphur*, por primera vez se veía mejor, tenía menos escoriación alrededor de la nariz y la cara menos roja. Le volvimos a recetar *Kali. Bich.* pero esta vez en baja potencia y mejoró más. Toda la condición se aclaró lentamente usando el mismo remedio durante un periodo de cuatro semanas.

***

Me vino a ver una mujer de cuarenta años con una larga historia de problemas digestivos: ardor en el estómago, dolor con sensibilidad en la parte superior del abdomen. El estómago se sentía bien y había perdido 18 kilos en cuatro semanas. No podía comer nada en las mañanas más que pequeñas sorbos de agua y en otras horas de comer sólo podía tomar pequeñas pociones, porque la comida le caía pesadamente al estómago como plomo o vidrio. Tenía el estómago inflado y dilatado y eructaba mucho. También tenía muchos problemas en el recto; una fisura en el ano, molestias en general y ardores. Inicialmente le dimos *Thuja*, dada la naturaleza caprichosa de los males del estómago, pero no se obtuvo una respuesta satisfactoria; después seguimos con *Sepia* por la depresión nerviosa en general y la irritabilidad y la calidad de los dolores pujantes. Después de *Sepia* siguió el *Lachesis* —había una gran intolerancia a la ropa apretada. Finalmente se le recetó *Sulphur* y *Ornithogalum* para completar la recuperación.

***

Tuve una paciente de 39 años, con una historia de estreñimiento que ya casi ni se acordaba cuándo había empezado. A veces pasaban hasta cinco días sin que tuviera movimiento intestinal y siempre tenía que pujar. Las evacuaciones eran duras, secas y boludas como piedras y dolorosas. Siempre estaba cansada, tenía mucha flatulencia y el abdomen muy tenso. Tenía venas varicosas en ambas piernas, hemorroides, que eran problemas asociados con tener que pujar y el estreñimiento. Al efectuar el examen del abdomen fácilmente se podía sentir el colon cargado de heces duras. Su cabello era escaso, le gustaban mucho los dulces, muy rara vez sudaba y su piel era seca y fría. Era ansiosa y generalmente de buen humor. Le dimos *Lycopodium* que logró mejorarla, y después de esto seguimos con *Bryonia 6* dos veces al día, la que alivió marcadamente los síntomas. Le recomendamos que aumentara la cantidad de fibras no digeribles en su dieta y hacer

160

ejercicio más regularmente como medidas adicionales para prevenir la recurrencia del mal.

***

Vimos a una mujer a quien le habían diagnosticado, tres semanas antes, fiebre ganglionar. Estaba cansada, tenía dolor de cabeza, se sentía mal, y tenía ganglios inflamados, un poco sensibles detrás de ambos oídos, en la región superior del cuello y en las ingles. El mes anterior había tenido un dolor sordo y pesado en el bajo vientre, se cansaba y le faltaba el aire cuando subía las escaleras; le dolían las dos piernas y se le cansaban. Logramos que con *Baryta Carb. 10M*, se sintiera bien y sin síntomas hasta que la vimos un año después: estaba cansada y deprimida, ya que acababa de terminar un periodo prolongado de estudios de posgrado. Estos síntomas también se mejoraron rápidamente con *Pulsatilla*, y ha permanecido bien y sin síntomas desde entonces.

***

Una paciente de cuarenta y tres años tenía una historia de alta presión arterial que empeoraba en épocas de stress y esfuerzo de trabajo, y que sólo se mejoraba con un descanso completo en un centro de salud. Tendía a comer compulsivamente y estaba aumentando de peso. Tenía bochornos y periodos irregulares. Sus tobillos estaban un poco hinchados. Controlaba sus emociones de tal manera que siempre estaba de buen humor en el exterior, pero irritable y resentida interiormente, aunque esto nunca lo demostraba. Le dimos *Pulsatilla 10M* por su intolerancia al calor y a todas las grasas y su aparente naturaleza tranquila; se logró un mejoramiento general inmediato de los bochornos y un sentimiento general de mayor relajamiento. Era tranquila externamente, casi nunca lloraba, los párpados inferiores estaban un poco hinchados y le gustaba estar sola, aunque pocas veces tenía la oportunidad de hacerlo, entonces le dimos *Natrum Mur.* en alta potencia, lo que redujo más la presión y disminuyeron las jaquecas. Administramos *Crataegus* para apoyar el sistema cardiovascular porque tenía los tobillos hinchados y fatiga general y una tendencia a retener líquidos. A medida que se estabilizó la presión arterial seguimos con *Crataegus* y *Natrum Mur. 6*, durante un periodo de varios meses con el fin de controlar los factores obvios de stress que la estaban afectando y para continuar apoyando y fortaleciendo la eficiencia de los músculos cardiacos y su sistema conductor.

***

Vimos a una mujer de veinticinco años con una historia de tres años de reumatismo en sus dedos pulgar e índice y ambas rodillas. Esta condición había aparecido unos ocho meses antes de concebir a su último bebé, se había aliviado durante el embarazo y le había vuelto un poco después. Desde entonces tenía ardor e inflamación. También, después de un accidente de automóvil cinco años antes, le daban dolores periódicos en las costillas del lado derecho, que siempre empeoraban con el clima húmedo. Le habían diagnosticado artritis, y había intentado la acupuntura sin obtener resultados. Los síntomas generalmente eran más fuertes por la noche, empeoraban con el calor de la cama y mejoraban con aplicaciones frías y levantando las rodillas. Le gustaba el clima asoleado, el agua helada, siempre se sentía mejor con el frío y la humedad, se asustaba con los rayos, y tomaba mucha sal. Era brillante, rápida y vivaz, aunque necesitaba mucha seguridad. Le recetamos *Phosphorus 10M*, con lo que se logró una mejoría moderada, y después le dimos *Rhus Tox.* Disminuyeron marcadamente los síntomas. Volvió unas semanas después con un dolor similar en el hombro derecho para lo que le recetamos *Sanguinaria 10M*. Desde entonces no ha tenido síntomas.

***

Una mujer de treinta y siete años se quejaba de dolor en la región temporal derecha que había persistido durante dos años. El dolor empeoraba justo antes de que empezaran sus menstruaciones, y a menudo se extendía hacia el hombro derecho, el lado derecho del cuello y hacia la base del cráneo. Nunca estaba libre del dolor, aunque en las mañanas era más tolerable. Por lo demás estaba bien, y la habían examinado en un hospital sin encontrar ninguna anormalidad. Se describía a sí misma como preocupona, exigente e irritable, era extrovertida y le gustaba la gente. Tenía gusto por los dulces pero también tomaba mucha sal en la comida. Su piel era muy seca. A veces al dolor de cabeza le seguía náusea y vómito, particularmente si había alguna excitación o ruido. Le dimos *Lycopodium 10M* logrando una mejoría temporal con una recaída. Entonces, un mes después administramos *Silicea*, después de la cual mejoraron los dolores de cabeza. El remedio final que necesitaba fue *Natrum Mur.* en 10M —alta potencia— que compuso el problema, y desde entonces ha seguido sin síntomas de los fuertes dolores de cabeza que tenía, y sólo cuando está bajo stress se siente tensa y tirante en el área afectada previamente, pero no hay dolor severo.

***

Acudió a nosotros un hombre de treinta y siete años con una fuerte depresión, tensión e insomnio. No podía dormir y cuando lo hacía, el sueño era ligero. Usualmente se sentía abatido, cansado y exhausto entre las cinco y las seis de la tarde. Eran comunes los dolores de cabeza, principalmente situados en la región temporal derecha. Dijo que sentía mucha pereza, letargo e hipocondría y que había sido un hijo adoptado a unas cuantas semanas de nacido. Era muy nervioso, temperamental, demasiado apegado y dependiente de la gente, sensible y siempre deprimido, pero usualmente sin expresarlo. Le gustaban los dulces y las comidas muy sazonadas, a menudo le daban ataques de diarrea y flatulencia. Era friolento, prefería el

163

clima caliente, sudaba poco y tenía la piel seca. A menudo tenía sed. Le dimos *Lycopodium 10M* obteniendo una respuesta inmediata; la depresión y la tensión disminuyeron, se había estabilizado y se estaba durmiendo más temprano, durante periodos más largos y mucho más relajado. No repetimos el *Lycopodium* ya que el paciente siguió mejorando con esa única dosis. Después de cuatro semanas estaba completamente bien y lo dimos de alta sin seguir otro tratamiento.

***

Una mujer de treinta y cuatro años se quejaba de dolor severo en el pecho, que empeoraba al caminar, como si tuviera una banda apretada alrededor del pecho. Tan luego como hacía algún esfuerzo para apresurar el paso, el dolor le impedía respirar y la obligaba a suspender cualquier actividad. Siempre había sido sana y activa, cuidadosa de sus hábitos alimenticios y de su peso. Como dieciocho meses antes había empezado una dieta y había perdido diez kilos en el término de seis meses. Sin embargo, perdió el control de la dieta, siguió adelgazando y estaba exhausta, ansiosa y cansada. No podía volver a aumentar de peso, por más que hacía lo posible. Ese verano se había ido con su familia a Europa y se había quedado en un hotel a la orilla del mar. En el lugar donde pasó la mayor parte de las vacaciones, hacía mucho calor aun en la sombra. Después de este periodo de clima caliente le dio angina de pecho, luego de la fuerte pérdida de peso con la dieta. Inicialmente le dimos *Arnica 10M*, seguida de *Cactus* y *Lacrodectus* en alta potencia, lo que la mejoró lentamente a lo largo de un año. La paciente quedó libre de dolor y ahora es capaz de caminar normalmente.

***

Vino a verme una mujer de veinticuatro años con una historia de depresión desde el nacimiento de su segundo hijo hacía dos años. La depresión empezó un poco después del nacimiento y

164

le provocaba sentimientos suicidas e indiferencia a todos y todo. Había perdido el interés sexual, sentía desconsuelo y desesperanza y lloraba mucho. Esto había disminuido lentamente, así que había vuelto a trabajar, pero nunca se había recuperado totalmente y cuando la vi estaba muy deprimida y empeorando. Todo le costaba mucho trabajo y estaba preocupada porque les estaba gritando a los niños cada vez más. Su salud en general era bastante buena, pero tenía dolores imprecisos en las articulaciones de ambas caderas, los dedos de las manos y los pies, y en la quijada en su lado izquierdo. También tenía una historia de menstruaciones dolorosas durante el último año, fuertes dolores durante los primeros días con punzadas en el recto y dolores de cabeza. Le recetamos *Aurum 10M* en vista de la severidad de la depresión, y esto dio como resultado una mejoría. Dos semanas después estaba menos deprimida, riendo otra vez y en las mañanas despertaba más descansada. Un mes después se sentía mucho mejor y reportó que su vida sexual se había normalizado y que los dolores de las articulaciones habían mejorado. No hubo necesidad de más remedios y, cuando la vi dos años después, no había habido recurrencia de la depresión.

Índice de tratamientos

Almorranas

Definición	Hemorroides de los vasos anales.
Causas	Embarazo, quizá con estreñimiento.
Síntomas	Dolor, comezón, incomodidad, sangrado, prolapso de las almorranas.
Tratamiento	*Nux Vomica*; *Collinsonia*; *Aesculus*; *Pulsatilla*; *Aloe*; *Sulphur*.
Nux Vomica	Cuando está asociada la indigestión, se despierta en la noche de las 12 a las 2:00 a.m. Son comunes la irritabilidad y el estreñimiento. Las almorranas son grandes, arden y pican, a menudo con un dolor en la cintura como de magulladura.
Collinsonia	El remedio más valioso cuando son muy marcadas las almorranas con comezón. Hay una sensación de tener "palillos" en el recto, y usualmente estreñimiento. Sangran constantemente.
Aesculus	Hay una sensación de astillas en el recto. Las almorranas son moradas y hay un dolor severo en el recto y la cintura, con sequedad, comezón y ardor en el área.
Pulsatilla	Un remedio muy útil en el embarazo. A menudo está asociada la indigestión, hay ausencia de sed y las almorranas sangran fácilmente.

Aloe	Es útil cuando las almorranas sobresalen como un racimo de uvas, sangran frecuentemente y mejoran con la aplicación de agua fría. Es común la diarrea, y el ano y el recto tienen una sensación de ardor y raspado.
Sulphur	A menudo muy útil cuando las almorranas no están sangrando, pero hay estreñimiento y comezón en el ano. Es característica una sensación de pesadez y dolor de cabeza punzante.

Amenorrea

Definición	Ausencia del periodo menstrual normal, cuando el ciclo ya ha sido establecido.
Causas	Fatiga, shock, viaje, debilidad, exposición al frío o a la humedad antes del periodo menstrual.
Síntomas	No se presenta la menstruación con la regularidad acostumbrada.
Tratamiento	*Pulsatilla*; *Natrum Mur.*; *Aconito*; *Bryonia 30*; *Belladona*; *Sepia*; *Calc. Carb.*; *Ferrum Met.*; *Ignatia*; *Sulphur*.
Pulsatilla	Siempre ha tenido periodos menstruales muy irregulares y variables.
Natrum Mur.	Los periodos menstruales son escasos, tardados o inexistentes. No les gusta el mar y hay una tendencia a la soledad, más bien son tímidas, nerviosas y siempre están cansadas.
Aconito	Cuando se debe al frío.
Bryonia 30	Por enfriamiento o susto.
Belladona	Hay cólicos, dolor en el bajo vientre, comúnmente hay cansancio y pérdida del apetito. Casi siempre están agitadas.
Sepia	Dolor angustioso, depresión, deseo de estar sola.
Calc. Carb.	Cuando se debe a anemia.
Ferrum Met.	Cuando está asociada con anemia y diarrea.
Ignatia	Cuando se debe a alguna aflicción.
Sulphur	Periodos menstruales irregulares en general.

Anemia

Definición	Un nivel reducido de hemoglobina en la sangre.
Causas	Hemorragia, pérdida menstrual, úlcera duodenal, hemorroides, dietéticas, deficiencia vitamínica, deficiencia de vitamina B_{12} cuando es anemia perniciosa.
Síntomas	Palidez, debilidad, desmayos, falta de empuje e iniciativa.
Tratamiento	*Ferrum Met.*; *Arsenicum*; *Calcarea*; *Phosphorus*; *Natrum Mur.*; *China*; *Pulsatilla*.
Ferrum Met.	Un remedio básico fundamental, en personas que tienen la cara sonrojada y luego palidez extrema al siguiente momento.
Arsenicum	Es útil cuando hay una combinación de gran debilidad, ansiedad e inquietud. Ayuda en el caso de anemia perniciosa.
Calcarea	Útil en el caso de palidez blanquecina en la constitución de *Calcarea* así como *Calc. Phos.* lo es cuando el paciente es menos obeso.
Phosphorus	Está indicado para la persona alta y pálida, sensible y débil. Tiene poca resistencia, a menudo le falta el aliento, es baja de peso, con tendencia a ser hiperactiva que rara vez descansa adecuadamente y que no refuerza sus energías y reservas corporales.

Natrum Mur.	Es útil cuando hay pérdida de peso, falta de aliento, depresión, palpitaciones y un buen apetito. Para una persona solitaria que empora si se pretende consolarla.
China	Cuando se debe a pérdida de líquidos como en el caso de hemorragia o pérdida menstrual excesiva.
Pulsatilla	Ésta es muy útil cuando hay palidez, frialdad y sin embargo no tolera el calor, mejora en un espacio abierto, y no tiene sed.

Ansiedad

Definición	Estado emocional de ansiedad y tensión.
Causas	Cualquier trauma emocional o suceso en un temperamento sensible; familiar; hereditaria.
Síntomas	Preocupación, incapacidad para relajarse, miedo, insomnio, tensión, falta de confianza.
Tratamiento	*Natrum Mur.*; *Phosphorus*; *Calcarea*; *Arsenicum*; *Pulsatilla*.
Natrum Mur.	Usualmente éste es el remedio de preferencia a menos que haya contraindicaciones, o que esté más indicado otro remedio.
Phosphorus	El paciente necesita que se le dé seguridad y nunca deja de mirar a los ojos con el fin de sentirse seguro. Les falta confianza pero usualmente son menos apartados o aislados que los de *Pulsatilla*.
Calcarea	Tiene mucha inquietud y ansiedad, dentro del cuadro rechoncho, pálido, débil y sudoroso de la *Calcarea*.
Arsenicum	Es útil en el caso de los que están en el marco de los excesivamente friolentos, inquietos, puntillosos. Siempre están agotados.
Pulsatilla	Tímido, ansioso, emotivo, no tolera el calor, llora fácilmente, sobre todo con síntomas muy variables.

Antrax (Carbunco)

Definición	Una inflamación supurativa en la piel de hasta quince centímetros de diámetro, rojiza y azulosa, usualmente en espalda, nalgas o cuello.
Causas	Usualmente ocurre al estar débil; a menudo la causa es desconocida.
Síntomas	Dolor, fiebre, inflamación, depresión, irritabilidad, malestar general. Puede supurar por varios puntos, lento para curarse.
Tratamiento	*Anthracinum*; *Silicea*; *Apis*; *Lachesis*; Compresas de *Borax*; *Tarentula*; *Arsenicum*; *Belladona*.
Anthracinum	Apariencia irritada azulosa, ampollada, con el centro negro.
Silicea	Dolor intenso, ardiente, pus fétido y verde en los tejidos subyacentes.
Apis	Indicado cuando hay mucha inflamación, considerable tensión y enrojecimiento de los tejidos circundantes.
Lachesis	Cuando predomina el color azul.
Compresas de *Borax*	Útil en los casos difíciles, crónicos e infectados, lentos para curarse. A menudo el paciente tiene temperatura.
Tarentula	Cuando el dolor es muy severo.
Arsenicum	Lesiones de antrax grandes, dolorosos y malignos, con postración.
Belladona	Lesión rojo brilloso, dolores punzantes antes de que se forme el pus.

172

Bocio

Definición	Inflamación de la glándula tiroides.
Causas	Ya sea hiperactividad o hipoactividad de la glándula tiroides.
Síntomas	Pérdida de peso, fatiga, palpitaciones, protusión de los globos oculares (hiperactividad). Languidez, piel seca, caída del pelo, tendencia a la obesidad (hipoactividad).
Tratamiento	*Thyroidinum*; *Natrum Mur.*; *Iodium*; *Spongia*; *Calc. Iod.*; *Calc. Carb.* El tratamiento debe ser dirigido por un médico. Ni el paciente ni la familia deben intervenir inicialmente.
Thyroidinum	Es útil cuando el bocio es tóxico exoftálmico con pérdida de peso, dolor de cabeza, sudoración, temblor, pulso acelerado y agitación.
Natrum Mur.	Uno de los mejores remedios para el bocio exoftálmico y una glándula tiroides hiperactiva, con las palpitaciones y pérdida de peso típicos.
Iodium	Es útil para los bocios simples y tóxicos, con exoftalmos, donde el pulso está acelerado, hay agitación y pérdida de peso.
Spongia	Es útil para los bocios simples no tóxicos debidos a la deficiencia de yodo —como en "cuello de bocio".
Calc. Iod.	Es útil para problemas de bocio simple, no tóxico en los niños y adultos.
Calc. Carb.	Es útil para problemas de bocio simple, no tóxico en los niños y adultos.

Bolas en el pecho

Definición — Una hinchazón localizada, del tejido de las glándulas mamarias.

Causas — Quiste, absceso, ganglios, tumor.

Síntomas — Hinchazón palpable en el pecho.

Tratamiento — *Conium*; *Phytolaca*. Este problema debe estar siempre bajo supervisión médica para excluir un problema que requiera cirugía.

Conium — Cuando hay dolor, usualmente empeora antes de la menstruación.

Phytolaca — También se puede aplicar localmente como tintura. Para casos prolongados.

Bronquitis

Definición	Infección de la mucosa que recubre el interior de los bronquios.
Causas	Infección aguda, a menudo en forma recurrente, cuando hay una disposición (puede sobrevenir después de una neumonía o un resfriado).
Síntomas	Tos, fiebre, puede haber una ligera falta de aliento, y una ligera dificultad respiratoria, pero el principal síntoma es la tos.
Tratamiento	*Aconito*; *Bryonia*; *Belladona*; *Phosphorus*; *Ant. Tart.*; *Kali. Bich.*
Aconito	El remedio más temprano, que se debe dar durante las primeras veinticuatro horas. Hay una tos corta y seca, temperatura y una irritación en la garganta y en el pecho y la tráquea. Usualmente la causa se debe a la exposición al frío. El paciente está inquieto y con frío, ansiedad y el pulso galopante, con debilidad general.
Bryonia	Hay una tos dolorosa, violenta, seca, estacante, con dolor de cabeza y en las paredes del pecho, que empeoran con la tos y mejora si se sostiene el área con ambas manos. La expectoración es amarilla, a menudo con estrías de sangre. La tos empeora después de las comidas.

Belladona	El paciente tiene temperatura alta, tos seca, dolor punzante de cabeza, la cara sonrojada, con la piel seca y caliente. La tos empeora por la noche y al estar acostado.
Phosphorus	Éste es un remedio útil para la persona alta y pálida con poca resistencia natural, de ojos brillantes y muy ansiosa, que necesita que le den seguridad constante. A menudo la respiración es apretada de tipo asmático, hay una tos seca con comezón y dolor en el pecho, que empeora con el aire fresco y cuando se habla.
Ant. Tart.	Cuando se ha acumulado en el pecho una cantidad considerable de flema suelta, ruidosa y húmeda. Es útil para los niños y los ancianos —que tienen dificultad respiratoria y una tos floja, pero expectora poca flema. Puede haber vómito y la respiración es difícil. Hay un marcado agotamiento.
Kali. Bich.	En casos menos agudos. La flema es dura, espesa y filante, que no es fácil de expectorar. Se siente opresión en el pecho y hay una tos molesta. Empeora de 4:00 a 5:00 a.m.

Calambres (nocturnos)

Definición	Calambres en las extremidades, a menudo en las piernas, usualmente durante la noche.
Causas	A menudo desconocidas, circulatorias, pérdida de sal, por sudoración excesiva.
Tratamiento	*Nux Vomica*; *Cuprum Met.*; *Ácido Acético*; *Gelsemium*; *Chamomilla*; *Iris Vers.*; *Verat. Alb.*
Nux Vomica	Cuando se asocia con dolor de cabeza, pérdida del apetito, náusea, estreñimiento.
Cuprum Met.	Usualmente en los pies y piernas.
Ácido Acético	Dolores de estómago, especialmente en la persona pálida y anémica con debilidad marcada.
Gelsemium	Ardor en los brazos y piernas. Calambre de escritor. Generalmente está presente la irritabilidad. Usualmente los síntomas se mejoran moviendo la parte afectada.
Chamomilla	Cuando están asociados y localizados en los muslos y piernas.
Iris Vers.	Cuando están asociados con diarrea.
Verat. Alb.	Particularmente calambres de los músculos de la pantorrilla, que mejoran con masaje local, pero a menudo empeoran al caminar.

Catarro

Definición	Inflamación catarral de la mucosa de la nariz y los senos paranasales.
Causas	Usualmente una infección aguda, más bien cuando bajan la resistencia y la vitalidad.
Síntomas	Secreción catarral de color blanco, amarillo o verde, dependiendo del grado de infección.
Tratamiento	*Pulsatilla*; *Nux Vomica*; *Arsenicum*; *Kali. Carb.*; *Kali. Bich.*; *Allium Cepa*; *Mercurius*; *Kali. Iod.*
Pulsatilla	El catarro es variable en frecuencia e intensidad, con una secreción que puede ser clara, amarilla o verde. Usualmente empeora al atardecer y en la noche. Tienen frío pero prefieren una habitación fresca con las ventanas abiertas para recibir el aire fresco.
Nux Vomica	Es útil en las etapas tempranas de un resfrío con catarro nasal, a menudo seco. Hay estreñimiento, dolor de espalda e irritabilidad.
Arsenicum	Hay una secreción abundante, ardiente, excoriante, acuosa y clara. Escalofrío, deseo de calor, gran postración, agitación, estornudos y ojos llorosos.
Kali. Carb.	El catarro es espeso y amarillo, que empeora en la mañana y al atardecer, y se siente peor en una atmósfera caliente y seca. Es característico el dolor de garganta, estornudos e inflamación de los párpados superiores.

Kali. Bich.	La secreción es amarilla, espesa e infectada, con dolor de garganta, ronquera y mocos duros y filantes. A menudo se asocia con tos, que empeora entre las 4:00 y 5:00 a.m.
Allium Cepa	Hay una secreción muy abundante y acuosa, estornudos y una escoriación ardorosa en las áreas de la nariz y los labios.
Mercurius	El aliento es fétido y la garganta está infectada, la secreción es espesa y amarilla, a menudo con ganglios cervicales agrandados y adoloridos.
Kali. Iod.	Hay una secreción delgada y ardiente, caliente y acre, con los ojos hinchados y dolor de garganta. La nariz está roja e irritada.

Ciática

Definición	Dolor a lo largo de la distribución del nervio ciático.
Causas	Traumática, degenerativa.
Síntomas	Dolor desde media nalga hacia la rodilla y pantorrilla.
Tratamiento	*Colocynth*; *Carboneum Sulph.*; *Lachesis*; *Arsenicum*; *Gnaphalium*; *Ammonium Mur.*; *Nux Vomica*; *Rhus Tox.*
Colocynth	Usualmente del lado derecho, empeora con el frío, el dolor se irradia a través de la pierna hacia el pie, y es paroxístico, con entumecimiento y debilidad.
Carboneum Sulph.	Ciática del lado izquierdo, usualmente por un enfriamiento, pero paradójicamente empeora con calor local. La rigidez es un rasgo y a menudo impide caminar.
Lachesis	La ciática en cualquiera de las dos piernas, que empeora en la noche y con el aire frío.
Arsenicum	El dolor es intermitente, empeora en la noche, mejora con el movimiento suave, pero empeora con el frío y con el movimiento rápido.
Gnaphalium	Para el dolor severo y entumecimiento a lo largo de todo el nervio ciático, mejora con descanso y al estar sentado, empeora con el movimiento.

Ammonium Mur.	El dolor empeora al estar sentado y mejora al caminar y dormir. A menudo el dolor es del lado izquierdo.
Nux Vomica	La ciática es de carácter punzante, los miembros están tiesos, fríos y se sienten paralizados. Mejora con el calor; es común el estreñimiento.
Rhus Tox.	Cuando hay una condición crónica con ardores y dolores tirantes que mejora con el calor y el movimiento, empeora con el descanso, se debe a exposición al frío o a la humedad.

Contusión

Definición	Pérdida del conocimiento debido a un traumatismo en la cabeza, el periodo y profundidad de la pérdida de la conciencia, varía con el grado del traumatismo.
Causas	Traumatismo.
Síntomas	Pérdida del conocimiento, shock, confusión, palidez, extremidades frías.
Tratamiento	*Arnica*; *Hypericum*; *Ruta*, tintura local; *Aconito*; *Opium*; *Veratum Alb*.; *Belladona*; *Natrum Sulph*.
Arnica	Éste es siempre el primer tratamiento que hay que dar, y el más básico e importante.
Hypericum	La cabeza se siente pesada y dolorosa y está sumamente sensible a cualquier tacto o movimiento. Hay una marcada confusión.
Ruta	Tintura aplicada localmente.
Aconito	Un remedio útil después del *Arnica* si es que la cara está sonrojada (roja) y el pulso saltón con inquietud y la temperatura alta.
Opium	Respiración pesada, estreñimiento después de la contusión. Respiración estentórea.
Veratum Alb.	Colapso, frialdad, sudoración, particularmente en la frente. Shock. La cara está fría, pálida, sudorosa, el pulso está débil.

Belladona	Dolor de cabeza, cara sonrojada, pulso saltón, irritabilidad e inquietud.
Natrum Sulph.	Dolor severo y rasgante. A menudo son característicos el mareo y el vómito.

Cólico biliar

Definición	Espasmos severos de cólico en el área de la vesícula biliar.
Causas	Piedras en la vesícula biliar.
Síntomas	Dolor, sudoración, colapso, dolor muy agudo.
Tratamiento	*Mag. Carb.*; Tintura de *Berberis*; *Dioscorea*; *Veratrum Album*; *Chelidonium*.
Mag. Carb.	Uno de los mejores remedios para el dolor de cólico muy severo.
Tintura de *Berberis*	Si se da cada cinco o diez minutos relaja los espasmos.
Dioscorea	Para dolor umbilical severo, que se alivia estirando el cuerpo hacia atrás. A menudo los dolores se irradian hacia el pecho y la espalda.
Veratrum Album	Para los dolores que lo doblen, o que requieren caminar para aliviarlos. Hay sudor frío y flatulencia considerable y distensión con estreñimiento.
Chelidonium	A menudo un remedio útil para problemas de vesícula biliar.

Cólico renal

Definición	Espasmos severos de cólico en el área de los riñones.
Causas	El paso de cálculos renales.
Síntomas	Dolor severo que hace que se doble el paciente, colapso.
Tratamiento	*Berberis*; *Calc. Carb.*; *Mag. Phos.*; *Ocimum Canum*; Tintura de *Stigmata*; tintura de *Dioscorea*; Tintura de *Thlaspi Bursa Pastoris*. El paciente deberá estar en cama con una bolsa de agua caliente para aplicar localmente.
Berberis	Diez gotas (de la tintura) cada quince minutos. *Calc. Carb.* en potencia 30c cada 15 minutos. Hay calambres severos, vómito. Mejora con aplicaciones calientes locales.
Mag. Phos.	Un remedio excelente para el cólico severo.
Ocimum Canum	El paciente se retuerce de dolor, está intranquilo y puede arrojar sangre en la orina.
Tintura de *Dioscorea*	Intranquilidad, calambres que hacen que se retuerza el paciente.
Tintura de *Thlaspi Bursa Pastoris*	Cuando hay un depósito rojo o arenoso en la orina.

Depresión

Definición	Un estado depresivo de la mente.
Causas	Una pérdida de algo o alguien, edad, shock, una separación, familiar, constitucional.
Síntomas	Depresión, fatiga, insomnio, debilidad, no hay estímulo ni interés, desesperación, síntomas físicos variados y dolores.
Tratamiento	*Aurum*; *Sepia*; *Natrum Mur.*
Aurum	Éste es el remedio más útil cuando hay una depresión y tendencia suicida. No se puede lograr que salgan de su depresión.
Sepia	Están deprimidos e irritables, están abrumados por las preocupaciones y responsabilidades del día.
Natrum Mur.	Usualmente están menos deprimidos que los de *Aurum* y más emotivos, a menudo histéricos. Hay una tendencia a estar solos. A veces pueden tener un gesto suicida, pero es más un gesto que un verdadero intento, aunque puede ocurrir una tragedia.

Desmayos

Definición	Pérdida parcial de la conciencia y de la fuerza muscular, de corta duración.
Causas	Emocionales, debilidad, convalescencia, fatiga, anemia.
Síntomas	Palidez, náusea, mareo, sudoración, pérdida temporal de la conciencia.
Tratamiento	*Aconito*; *Opium*; *Ammoniacum*; *Carboneum*; *Veratum Viride*; *Arsenicum*; *Natrum Mur.*; *Digitalis*; *China*; *Camphor*; *Ammonium Carbonicum*.
Aconito	Especialmente cuando se debe a miedo o excitación emocional.
Opium	Somnolencia y desmayo por miedo.
Ammoniacum	Desmayo por el clima frío. Náusea. La garganta está seca y llena. La irritabilidad es un rasgo marcado.
Carboneum	Cuando hay una tendencia a tener espasmos en cualquier parte del cuerpo. Son muy marcados la palidez y el frío durante o después del desmayo.
Veratum Viride	El cuerpo está cubierto de sudor frío helado y está débil y postrado.
Arsenicum	Inquietud, escalofríos y sudoración.
Natrum Mur.	Cuando predomina una causa emotiva o histérica.
Digitalis	Cuando está asociado con enfermedad del corazón.

China	Cuando se debe a debilidad, a menudo después de una larga enfermedad.
Camphor	La tintura se puede usar como "sales de inhalar" para reanimar.
Amonium Carbonicum	El paciente yace indiferente e inmóvil.

Dismenorrea (menstruación dolorosa)

Definición	Molestia y dolor durante el ciclo menstrual, ya sea antes o durante el flujo.
Causas	Constitucional, familiar, fibromas.
Síntomas	Dolores calambroides, incomodidad, náusea, dolor de cabeza, el flujo puede ser escaso con coágulos, dolor de cintura o abdominal.
Tratamiento	*Pulsatilla*; *Chamomilla*; *Mag. Phos.*; *Gelsemium*; *Sulphur*; *Belladona*; *Viburnum Op.*; *Cimicifuga*.
Pulsatilla	Dolores cortantes y desgarrantes en el bajo abdomen y la espalda, pérdida del apetito, frío, diarrea durante el periodo, flujo escaso o profuso, coágulos, disposición amable.
Chamomilla	La sangre está "sucia" con coágulos, dolores como de parto, frecuencia, irritabilidad.
Mag. Phos.	Dolores espasmódicos y cólico.
Gelsemium	Hay espasmos de dolores agudos que se sienten en el bajo abdomen y la espalda, usualmente mejoran con la aplicación de calor local.
Sulphur	Periodos irregulares y el dolor es de tipo ardoroso.
Belladona	Dolor un día antes del flujo; siente los intestinos como si se los empujaran a través de la vagina; defecación dolorosa; dolores cortantes, cara roja y palpitante.

Viburnum Op.	Dolor súbito, que se extiende sobre todo el útero. Espasmódico.
Cimicifuga	Dolor de cabeza premenstrual. Dolor como de parto en el bajo abdomen, coágulos.

Dolor de cabeza

Definición	Dolor y molestia en la cabeza y la región cervical superior.
Causas	Múltiples y variadas, comúnmente justo antes de un resfriado, infección o un signo de fiebre en infecciones agudas de oído y garganta.
Síntomas	Dolor sordo o punzante, mareo, sensibilidad a la luz, náusea, pérdida del apetito, irritabilidad.
Tratamiento	*Pulsatilla*; *Ignatia*; *Arnica*; *Belladona*; *Iris*; *Glonoinum*; *Gelsemium*; *Nux Vomica*; *Aconito*; *Cocculus*; *Silicea*.
Pulsatilla	Periódico, punzante, variable, lloroso, asociado con indigestión por comida grasosa y almidones. Mejora con aplicaciones frescas, aire libre y caminata lenta. Empeora si se mira hacia arriba o estando acostado.
Ignatia	Hay dolor de cabeza con presión como si se tuviera una banda sobre la frente, con mareo, náusea, a menudo asociada con una expresión emotiva y llorosa.
Arnica	Dolor de cabeza como magulladura, principalmente en la región de la frente, empeora con cualquier movimiento.
Belladona	Dolor de cabeza ardiente y punzante, empeora con la luz y el ruido, la cara está roja, empeora al estar acostado, con una sacudida, agacharse, toser, pujar al obrar. Siente como si tuviera los ojos demasiado grandes. Mejora si se envuelve la cabeza para calentarla.

Iris	Dolores del lado derecho de la cabeza, con vómito de bilis. Usualmente empeora en las horas del atardecer o en la mañana temprano.
Glonoinum	Por exposición al sol, punzante, aumentada la orina, dolores terribles punzantes, sensación de que se revienta la cabeza. Empeora con el sol, calor, sacudida. Mejora con el aire fresco, estar acostado, dormir, tener la cabeza levantada.
Gelsemium	Vértigo y náusea asociados con dolor de la parte derecha de la cabeza, a menudo sobre el ojo o sien. El dolor empeora con el movimiento, el ruido y la luz.
Nux Vomica	Dolor como que se parte la cabeza, después de comer, con vértigo e irritabilidad, a menudo asociado con estreñimiento, espasmódico y punzante, de rajadura en la región de la sien, náusea y vómito. Empeora después de las comidas y al agacharse, a menudo peor en la mañana al despertar, después de tomar alcohol, o al aire libre. Mejora con el calor, al estar acostado, y cubrirse la cabeza.
Aconito	La cabeza se siente congestionada, hemicranía, palpitaciones dolorosas en las sienes y en los ojos, dolor de cabeza súbito violento, como una banda, inquieto y ansioso, sediento. Mejora con reposo. Empeora con el ruido y el movimiento.

192

Cocculus Dolor de cabeza con malestar, arcadas y poco vómito.

Silicea El dolor de cabeza usualmente aparece en la región occipital, y se extiende hacia toda la cabeza. Mejora si se envuelve toda la cabeza para calentarla. Un rasgo común es la sudoración abundante.

Embarazo, problemas del

Aborto

Definición	La terminación espontánea y prematura del embarazo, usualmente en las primeras semanas.
Causas	A menudo desconocidas, o por shock agudo, una causa emotiva, desequilibrio hormonal, o por infección. Puede haber una anormalidad del feto que se está desarrollando, o del útero.
Síntomas	Hemorragia, contracciones uterinas regulares, dolores abdominales, colapso.
Tratamiento	*Pulsatilla*; *China*. Procure ayuda médica inmediata y hospitalización.
Pulsatilla	Cuando la placenta se retiene después del aborto.
China	Si hay debilidad por pérdida de sangre.

Aborto (amenaza de)

Definición	Sangrado o contracciones, que ocurren en el embarazo temprano, antes de término.
Causas	A menudo desconocidas, emocionales, traumáticas.
Síntomas	Sangrado, quizá contracciones.
Tratamiento	*Secale*; *Arnica*; *Chamomilla*; *Viburnum Op.*; *Sabina*; *Belladona*; *Cinnamomum*.

Secale	Cuando hay amenaza de aborto durante los primeros meses con dolores que acalambran y es posible que sobrevengan dolores prematuros de parto.
Arnica	Cuando hay amenaza de parto prematuro y está asociada con alguna lesión o traumatismo.
Chamomilla	Cuando está asociado con excesiva excitación nerviosa.
Viburnum Op.	La amenaza de aborto está asociada con cólicos espasmódicos alrededor del bajo abdomen y que irradian hacia los muslos.
Belladona	Cuando hay una hemorragia abundante y caliente, dolor de cintura y de cabeza que empeora con el más mínimo sacudimiento o movimiento.
Sabina	Está indicada cuando la amenaza ocurre alrededor de la doceava semana del embarazo.
Cinnamomum	Cuando se debe a un esfuerzo o caída con poco dolor pero con hemorragia abundante.

Aborto (prevención del)

Definición	Hay una historia de aborto en embarazos anteriores, o de hemorragia durante el embarazo.
Causas	A menudo confusas, pero probablemente debidas ya sea a un desequilibrio hormonal, o a una anormalidad en la función y posición del útero.

Síntomas	Una tendencia recurrente a abortar en cada embarazo, a menudo en la misma etapa de desarrollo del feto.
Tratamiento	*Apis*; *Sabina*; *Secale*; *Phosphorus*; *Merc. Cor.*; *Cimicifuga*; *Caulophyllum*; *Sepia*.
Apis	Es útil en el tercer mes. El sangrado es rojo brillante con coágulos, y dolores de pujo en la cintura y región púbica; de tirón hacia abajo.
Sabina	Igual que *Apis*.
Secale	Muy útil en los primeros meses asociado con dolores frecuentes, palidez, ansia de aire y hemorragia negra oscura.
Phosphorus	Cuando se debe a problemas de la placenta.
Merc. Cor.	Cuando se debe a anormalidad fetal.
Cimicifuga	Un remedio preventivo muy útil cuando hay cólicos intermitentes a través del abdomen, que provocan que la persona se doble. Es útil cuando hay una predisposición reumática.
Caulophyllum	Un remedio preventivo muy valioso cuando hay dolores severos en la cintura, los lados y el abdomen, contracciones débiles y un sangrado ligero.
Sepia	Un remedio básico invaluable, cuando hay irritabilidad, sensación de un peso que empuja hacia abajo en el recto y bajo abdomen con estreñimiento.

Absceso en las glándulas mamarias

Definición	Una infección aguda de los tejidos del pecho, durante la lactancia.
Causas	Usualmente desconocidas, o debidas a falta de higiene.
Síntomas	Dolor, enrojecimiento, hinchazón, no fluye la leche, fiebre, malestar general, se involucran los ganglios axilares.
Tratamiento	Tintura de *Phytolacca* localmente; *Phytolacca*; *Bryonia*; *Belladona*; *Aconito*.
Phytolacca	La tintura externamente, y *Phytolacca* internamente.
Bryonia	Cuando el pecho está muy duro y tenso.
Belladona	Cuando el pecho está caliente, duro e inflamado, usualmente con temperatura elevada en el cuerpo.
Aconito	Para los casos agudos tempranos, con dolor severo, inquietud a menudo con fiebre alta. Es útil particularmente para los abscesos muy agudos durante la lactancia.

Anemia

Definición	Baja hemoglobina en la sangre a causa del embarazo.
Causas	Descanso y dieta inadecuados.
Síntomas	Fatiga, falta de interés y energía, depresión, falta de aliento.
Tratamiento	*Calc. Phos3x*; *Ferra. Phos.3x*; *Ferrum Met.*

Calc. Phos.3x y *Ferr. Phos.3x*	Es muy recomendable esta combinación si se toma dos veces al día contra la anemia común por deficiencia de hierro durante el embarazo.
Ferrum Met.	Es útil cuando la anemia es más severa y está asociada con palidez y mejillas sonrojadas, debilidad y falta de aliento. Debe usarse a la sexta potencia.

Flujo vaginal

Definición	Un flujo vaginal blanco claro, durante el embarazo.
Causas	Infección, irritación local, afta, leucorrea.
Síntomas	Irritación por el flujo.
Tratamiento	*Sepia*; *Calcarea*; *China*; *Platina*.
Sepia	Hay un flujo amarillo verdoso.
Calcarea	El flujo es blanco lechoso.
China	Cuando está asociada la debilidad.
Platina	El flujo es acuoso y es muy marcada la comezón. Comúnmente están asociados el estreñimiento y la depresión.

Incomodidad por movimiento fetal

Definición	Sensación de los movimientos fetales, con incomodidad.
Causas	Un feto sobreactivo o una madre hipersensible; la postura del feto puede ser de nalgas o transversal.
Síntomas	Molestia e incomodidad.

Tratamiento	*Opium*; *Arnica*; *Pulsatilla*; *Hamamelis*.
Opium	Cuando están asociadas la fatiga y el estreñimiento.
Arnica	Hay una sensación de magulladura y fatiga.
Pulsatilla	Ayuda cuando el útero y las paredes abdominales están adoloridas.
Hamamelis	Otro remedio valioso para dolor en la pared abdominal.

Insomnio

Definición	Falta de sueño durante el embarazo, y dificultad para establecer un patrón de sueño regular.
Causas	Incomodidad del embarazo, el feto es sobreactivo, tensión, fatiga, consumo excesivo de café.
Síntomas	No poder dormirse, o despertarse después de un tiempo y quedarse despierto.
Tratamiento	*Coffea*; *Lycopodium*; *Sulphur*; *Aconito*; *Chamomilla*; *Pulsatilla*.
Coffea	Especialmente cuando se asocia con el abuso de café o té, y si hay excitación mental.
Lycopodium	Es valiosa cuando no se puede dormir debido a una mente hiperactiva.
Sulphur	Cuando se está despierta o inquieta en las horas tempranas, entre las 2:00 y 5:00 a.m.

Chamomilla	Cuando hay insomnio debido a dolor o calambres y asociado con irritabilidad.
Aconito	Si se asocia con frío, fiebre o escalofríos.
Pulsatilla	Tiene valor en el embarazo cuando la persona se despierta como a las 2:00 a.m., se levanta, o quiere una bebida y una galleta, y sólo así se puede volver a dormir.

Lactancia (exceso de leche)

Definición	Una acumulación excesiva de leche en el pecho lactante.
Causas	Sobreproducción, o lo que toma el bebé y su manera de mamar es inadecuada.
Síntomas	Los pechos están pesados, adoloridos y rebosantes.
Tratamiento	*Nat. Sulph.*; *Pulsatilla*; *Borax*; *Calc. Carb.*; *Phytolacca*.
Nat. Sulph.	Es útil particularmente durante la primera hora de comer en la mañana temprano. El problema tiende a ir y venir. Siempre hay una gran sensibilidad al frío y la humedad.
Pulsatilla	Los pechos están tensos, hinchados y adoloridos. Emocional, uno de los rasgos es que llora profusamente, y hay intolerancia a cualquier forma de calor.
Borax	Los pechos rebosan entre las comidas.

Calc. Carb.	Como para *Borax,* pero en el tipo de constitución de *Calcarea.*
Phytolacca	Los pechos están muy sensibles y hay un exceso en el flujo de la leche.

Lactancia (leche escasa)

Definición	Flujo inadecuado de leche, para las necesidades del bebé, durante la lactancia.
Causas	Constitucional, o un shock, enfriamiento, succión débil.
Síntomas	El bebé no sube de peso satisfactoriamente, tiene hambre con frecuencia, está irritable y lloroso.
Tratamiento	*Chamomilla; Aconito; Agnus Castus; Asafoetida; Natrum Mur.; Sabal Serr.*
Chamomilla	La cantidad de leche decrece debido a algún enojo.
Aconito	La cantidad de leche decrece debido a miedo o shock.
Agnus Castus	No fluye la leche dentro de las veinticuatro horas después del parto.
Asafoetida	La leche fluye y luego súbitamente deja de hacerlo.
Natrum Mur.	La disminución de la secreción asociada con aflicción o stress emocional agudo.
Sabal Serr.	Cuando los pechos no están suficientemente desarrollados.

Mastitis

Definición	Infección de los tejidos del pecho durante la lactancia.
Causas	Infección, usualmente local del pezón o leche acumulada, que causa bloqueo del ducto.
Síntomas	Dolor, fiebre, hinchazón.
Tratamiento	*Aconito*; *Bryonia*; *Belladona*; *Merc. Sol.*; *Hepar. Sulph.*; *Phytolacca*; *Sulphur*; *Silicea*; *Cimicifuga*.
Aconito	En las etapas agudas más tempranas.
Bryonia	Cuando todo el pecho está duro y doloroso y tenso con dolores pinchantes; a menudo con dolor de cabeza.
Belladona	Cuando el pecho está caliente con estrías radiantes y rojas, dolores pulsátiles, empeora si se toca con un movimiento o sacudida.
Merc. Sol.	Cuando hay peligro de que se forme un absceso.
Phytolacca	Cuando hay endurecimiento. También se aplica la tintura localmente. La paciente está fría, temblorosa y a menudo con los pesones rajados y adoloridos.
Hepar. Sulph.	Cuando ya se desarolló un absceso.
Sulphur	Cuando hay ardor y usualmente se asocia con enfermedad de la piel suprayacente.
Silicea	Cuando hay mastitis crónica, a menudo con una secreción. Ayuda a disolver las nudosidades duras.

202

Cimicifuga	Especialmente en el lado izquierdo, con dolor, hinchazón y endurecimiento; a menudo asociados con problemas uterinos.

Náusea y vómitos

Definición	Náusea y vómito usualmente en las primeras semanas del embarazo.
Causas	A menudo psicológicas.
Síntomas	Náusea y vómito persistentes por la mañana temprano durante los primeros tres meses del embarazo.
Tratamiento	*Ipecacuanha*; *Anacardium*; *Cerium Ox.*; *Natrum Phos.*; *Ácido Carbólico*; *Kreosotum*; *Sepia*; *Aletris Farinosa*; *Symphoricarpus*; *Nux Vomica.*
Nux Vomica	Es útil para la náusea y vómitos del embarazo cuando el síntoma predominante son las arcadas y la náusea, y los vómitos no son muy marcados. A menudo está presente el estreñimiento.
Anacardium	Ayuda cuando la náusea se alivia tomando alimentos.
Cerium Ox.	Para casos crónicos difíciles en donde hay vómito severo de comida parcialmente digerida.
Natrum Phos.	También ayuda mucho en los primeros meses. Hay náusea con sabor de boca agrio. El vómito sabe agrio. Está tremendamente hambrienta después de haber vomitado.

Ácido Carbólico	Está indicado cuando están asociados la irritabilidad y el dolor de cabeza.
Kreosotum	Ha comprobado su valor para aliviar los síntomas; náusea, salivación abundante, vómito de agua y moco baboso. Mejora con el calor.
Sepia	La náusea va acompañada de un sabor amargo muy desagradable. Se vomita bilis. Agotamiento, esfuerzo, dolor de espalda, irritabilidad, estreñimiento.
Aletris Farinosa	Para casos difíciles y obstinados cuando son un rasgo marcado el agotamiento y la fatiga con desmayos y mareos.
Symphoricarpus	Es de gran valor cuando la náusea y el vómito son muy severos; hay una aversión a todos los alimentos y generalmente la náusea es menor si descansa acostada sobre la espalda.

Palpitaciones

Definición	Estar consciente de los movimientos cardiacos, a menudo con una sensación de ansiedad.
Causas	Debilidad, fatiga, anemia, tensión, hipersensibilidad.
Síntomas	Hay conciencia del latido del corazón.
Tratamiento	*Spigelia*; *Digitalis*; *Nux Vomica*.
Spigelia	Éste es el tratamiento de preferencia y usualmente cura el problema.

204

Digitalis	Ayuda cuando la *Spigelia* no alivia completamente los síntomas.
Nux Vomica	Cuando están asociados la indigestión, el estreñimiento y la irritabilidad.

Parto

Definición	La etapa de expulsión del infante.
Síntomas	Dolor, contracción, dolores de pujo.
Tratamiento	*Caulophyllum*.
Caulophyllum	Éste se da en los últimos tres meses del embarazo para asegurar un parto fluido y evitar complicaciones. El remedio actúa como tónico para los músculos del útero.

Parto, problemas durante el

Definición	El parto es difícil y prolongado.
Causas	Presentación anormal de la cabeza, la pelvis es plana o anormal, el feto es grande.
Síntomas	Trabajo de parto prolongado y doloroso.
Tratamiento	*Arnica*; *Chamomilla*; *Coffea*; *Gelsemium*. Esto siempre debe estar dirigido por un médico.
Arnica	Cuando hay fatiga y agotamiento excesivo.
Chamomilla	Para un parto doloroso y difícil.
Coffea	Igual que arriba.
Gelsemium	Igual que arriba.

Parto retrasado

Definición	Se retrasa o no se da la última etapa de expulsión del feto, o bien la dilatación del cuello uterino está ausente o se tarda.
Causas	Inercia uterina, la cabeza no se encaja posición fetal de nalgas o transversal.
Síntomas	Debilidad, agotamiento.
Tratamiento	*Pulsatilla*; *Gelsemium*; *Belladona*; *Chamomilla*. Debe estar presente un médico dirigiendo el tratamiento.
Pulsatilla	Las contracciones son más bien débiles e irregulares, sin fuerza. A menudo hay náusea.
Gelsemium	El útero no se dilata y está rigido.
Belladona	El cuello uterino no se dilata, hay dolor de cabeza, intranquilidad y cara sonrojada.
Chamomilla	Cuando el dolor es inaguantable.

Pechos adoloridos

Definición	Los pechos están adoloridos pesados y sensibles durante el embarazo.
Causas	La causa más común es un desequilibrio hormonal, que afecta los tejidos glandulares de los pechos. Está muy relacionado con el ciclo menstrual, y a menudo empeora al empezar el flujo.
Síntomas	Dolor e incomodidad.
Tratamiento	*Belladona*; *Bryonia*; *Pulsatilla*.

Belladona	Los pechos están adoloridos, pesados y enrojecidos con una sensación de calor.
Bryonia	Los pechos están pesados y adoloridos pero sin enrojecimiento ni inflamación.
Pulsatilla	Un remedio general que es útil cuando los pechos están inflamados y dolorosos ya sea durante el embarazo o después.

Pezones lastimados

Definición	Pezones adoloridos y lactancia dolorosa.
Causas	Grietas, inflamación, quiste.
Síntomas	Dolor durante y después de amamantar.
Tratamiento	Tintura de *Arnica* localmente; *Hydrastis*; Tintura de *Calendula* localmente; *Phellandrium*; *Croton Tig.*
Arnica	Aplicar la tintura localmente si el pezón se siente magullado e hinchado. No se debe aplicar si la piel está abierta.
Calendula	Aplicar la tintura localmente. Es muy útil si la piel está abierta.
Hydrastis	El área circundante del pecho está seca y ardiente, y se sienten dolores agudos de herida al estar amamantando.
Phellandrium	Cuando amamantar es doloroso.
Croton Tig.	Hay dolor severo en el pezón al estar amamantando.

Placenta retenida

Definición	No se arroja la placenta después del parto.
Causas	Debilidad y agotamiento, anormalidades de la placenta.
Síntomas	No se da la tercera etapa del trabajo de parto, o sea la expulsión normal de la placenta, poco tiempo después del parto.
Tratamiento	*Pulsatilla*; *Secale*.
Pulsatilla	La placenta no ha sido expulsada después de una hora.
Secale	Darlo cada quince minutos. Usualmente el trabajo de parto ha sido prolongado y agotador, con las contracciones débiles. No se presentan las contracciones normales finales de expulsión, y en su lugar hay pequeños espasmos.

Estreñimiento

Definición

La actividad intestinal es irregular y errática, con la incapacidad de establecer un ritmo diario normal de evacuación.

Causas

Mal entrenamiento del intestino, dietéticas, falta de ejercicio, convalescencia, cambio de ambiente, fiebre, enfermedad, megacolon.

Tratamiento

Collinsonia; *Nux Vomica*; *Bryonia*; *Alumina*; *Natrum Mur.*; *Opium*; *Plumbum*.

Collinsonia

Es útil en casos obstinados. Las evacuaciones son duras y se necesita pujar mucho para desalojarlas. A menudo hay debilidad y sensación de desmayo. A menudo se presentan el reumatismo y las hemorroides.

Nux Vomica

Es útil cuando hay una larga historia de la pérdida del hábito de evacuar, debido a los laxantes y la falta de atención para regularizar los hábitos de evacuación, falta de ejercicio. Hay una urgencia constante, irregular e ineficaz, la cual es incompleta e insatisfactoria.

Bryonia

La evacuación es dura y seca que se pasa con la ausencia de urgencia normal. Las evacuaciones se expulsan con gran dificultad.

Alumina

Las evacuaciones son secas y hay una ausencia completa y total de actividad intestinal.

Natrum Mur.   Hay una evacuación dura y desmoro-
                 nada, difícil de expulsar y a menudo
                 está asociada con sangrado y urgen-
                 cia ineficaz.

Opium   Hay una falta de actividad de los in-
                 testinos absoluta y completa, sin nin-
                 guna necesidad o urgencia, y la mate-
                 ria fecal se impacta y está dura, seca y
                 negra.

Plumbum   Hay estreñimiento con cólicos y ur-
                 gencia de ir a defecar, y sólo se puede
                 pasar con dificultad, bolas redondas,
                 duras, negras y secas, con un espas-
                 mo como si tiraran hacia arriba.

Eyaculación prematura

Definición

Una eyaculación en el varón, demasiado rápida y precipitada durante el coito.

Causas

Psicológicas, usualmente en una personalidad muy ansiosa y tensa, tendiendo a ser precipitado y apresurado en casi todo.

Síntomas

La eyaculación es incontrolable durante el coito y a menudo la penetración es imposible.

Tratamiento

Lycopodium; *Nux Vomica*.

Lycopodium

Usualmente éste es el remedio que más ayuda, especialmente cuando las características físicas y mentales de *Lycopodium* son marcadas.

Nux Vomica

Cuando hay ira, irritabilidad e intolerancia a las imperfecciones propias y ajenas y hay demasiadas preocupaciones de negocios o de otro tipo que usualmente no se delegan o se comparten.

Fatiga

Definición	Cansancio, languidez y falta de energía.
Causas	Muchas, pero usualmente por no descansar regularmente, anemia, depresión, casi cualquier malestar físico, convalescencia.
Síntomas	Falta de energía y reservas.
Tratamiento	*China*; *Arnica*; *Arsenicum*; *Carbo Veg.*; *Nux Vomica*; *Ácido Fosfórico*.
China	Un remedio excelente para la fatiga que viene después de una enfermedad exhaustiva y prolongada, o la debilidad psicológica después de un prolongado periodo de desorden por cuidar algún pariente inválido, por ejemplo.
Arnica	Cuando la fatiga es de origen muscular y se caracteriza por cansancio, dolores y agotamiento.
Arsenicum	Nadie está más agotado, frío y helado que *Arsenicum*, y es excelente para la fatiga que sigue a un ataque de influenza o cuando se está desgastado en general. Está asociado con inquietud e incapacidad para relajarse, lo cual es muy característico.
Carbo Veg.	Para agotamiento extremo y las extremidades frías, mala circulación y sudor frío y pegajoso.
Nux Vomica	Cuando hay espasmos, dolor y fastidio con una sensación de que las articulaciones están lastimadas. A menudo hay una sensación de temblor y debilidad en las piernas.

212

Ácido Fosfórico

Es tónico cuando hay debilidad general y fatiga, sudores fríos y pegajosos, debilidad al hacer esfuerzo. A menudo el cabello es débil y delgado. El agotamiento se puede deber a una enfermedad prolongada o crónica; a veces, en el caso de un adolescente, a un crecimiento demasiado rápido, o hemorragia durante la menopausia.

Fiebre del heno

Definición

Un trastorno agudo, catarral, alérgico de la mucosa de los senos paranasales y mucosa nasal que da en ciertas temporadas o estaciones del año.

Causas

Alergia al pasto y otros pólenes.

Síntomas

Todos los síntomas de un resfriado agudo, con ojos llorosos, estornudos, catarro e insomnio.

Tratamiento

Teucrium; Polen mezclado; *Kali. Carb.*; *Arsenicum*; *Sabadilla*; *Allium Cepa*.

Teucrium

Uno de los remedios que ayuda más para la alergia del pasto de primavera.

Polen mezclado

El Polen mezclado potentizado es muy útil en los casos de fiebre del heno del verano tardío y otoño temprano.

Kali. Carb.

Es un remedio muy útil cuando hay fiebre del heno muy severa, que empeora en la mañana y al atardecer. Los síntomas incluyen una secreción amarilla y espesa, dolor de garganta, estornudos y los ojos llorosos. Es característica la hinchazón de los párpados. Usualmente se sienten peor si están en el interior y se mejoran con el aire fresco.

Arsenicum

Hay una secreción delgada, ardiente, escoriante y acuosa, con estornudos y catarro, que empeora después de la media noche, hay inquietud.

Sabadilla	Es útil para la fiebre del heno con secreción acuosa abundante, estornudos y dolor de sienes frontales.
Allium Cepa	Es marcada la comezón de la nariz y los ojos, con una secreción nasal abundante y clara que es ácida y provoca escoriación.

Fiebre ganglionar

Definición
Una infección aguda, en los niños y adultos, que involucra marcadamente los ganglios.

Causas
Contagio.

Síntomas
Fiebre intermitente, malestar general y debilidad, con el bazo agrandado. Están involucrados los ganglios en general.

Tratamiento
Belladona; *Calcarea*; *Phytolacca*; *Baryta Carb.* El nosode específico.

Belladona
Cuando hay fiebre alta y están involucrados los ganglios.

Calcarea
Cuando está retrasado el crecimiento y hay sudoración abundante.

Phytolacca
Son comunes los dolores de cabeza, especialmente en la frente, y hay catarro nasal crónico con súbitos dolores generalizados que vienen y van. Los ganglios linfáticos están agrandados, duelen y arden.

Baryta Carb.
Tiene valor para los síntomas ganglionares.

El nosode
Está indicado en los casos agudos y como preventivo.

Flatulencia

Definición	Sensación de estar abotagado y distendido después de las comidas.
Causas	Indigestión, úlcera péptica, dietéticas.
Síntomas	Sensación de estar lleno, dolor y molestias después de los alimentos.
Tratamiento	*Carbo Veg.*; *Lycopodium*; *Nux Vomica*; *Argent. Nit.*; *China*; *Chamomilla*.
Carbo Veg.	Flatulencia, dolor y gas en la parte alta de la región abdominal.
Lycopodium	Flatulencia en el bajo abdomen.
Nux Vomica	Flatulencia asociada con estreñimiento, dolor estrujante y eructos con sabor amargo.
Argent. Nit.	Un remedio útil para dolor abdominal y flatulencia, siempre son intolerantes al calor.
China	Especialmente cuando está involucrada la parte alta del abdomen. La debilidad es un rasgo. El área está muy sensible al tacto, pero mejora con presión firme y calor.
Chamomilla	Flatulencia en los niños, que mejora cuando eructan y está asociada con irritabilidad.

Flebitis

Definición   Inflamación de los canales venosos en cualquier parte del cuerpo.

Causas   Trauma, debilidad, fumar, la píldora, algunos preparados hormonales y antidepresivos.

Síntomas   Edema en las piernas, dolor, enrojecimiento, sensibilidad dolorosa, incapacitación.

Tratamiento   *Hamamelis* en tintura localmente; *Hamamelis*; *Pulsatilla*; *Arnica*; *Aconito*; *Lachesis*; *Belladona*.

Hamamelis   La tintura aplicada localmente y el *Arnica* tomado internamente a la sexta potencia. Usualmente están asociadas las venas varicosas.

Pulsatilla   Cuando están asociadas venas varicosas y el paciente no tiene sed y no tolera el calor.

Arnica   La tintura aplicada localmente y el *Arnica* tomada internamente a la sexta potencia, cuando está asociada con un traumatismo.

Aconito   Cuando el problema es agudo y está asociado con fatiga, así como por largos periodos de caminar y agotamiento.

Lachesis   Cuando el área está azulosa.

Belladona   Está indicada cuando el área superyacente está caliente, roja, sensible e infectada.

218

Fobia al cáncer

Definición	Ansiedad, estado tenso de fobia, dominado por el miedo obsesivo al cáncer.
Causas	Depresión, estructura obsesiva y a veces ilusoria.
Síntomas	Preocupación, hipocondría, absorto en sí mismo.
Tratamiento	*Lycopodium*; *Nux Vomica*; *Arsenicum*; *Pulsatilla*.
Lycopodium	Éste es uno de los remedios más útiles para la hipocondría; el mínimo dolor se traduce en la enfermedad más dramática.
Nux Vomica	Es útil cuando hay irritabilidad, tensión debida a exceso de trabajo y preocupaciones de negocios agravada por el abuso del alcohol o estimulantes.
Arsenicum	Ayuda cuando la preocupación es obsesiva, y está asociada con debilidad y colapso.
Pulsatilla	Es útil para las mujeres jóvenes, lloronas, que son tímidas, inseguras y asustadizas.

Frigidez

Definición	Incapacidad para responder y participar en una relación sexual normal.
Causas	Muchas, pero usualmente psicológicas; inmadurez; trauma; constitucional.
Síntomas	Tensión, dolor, ansiedad, ausencia de placer y respuestas normales.
Tratamiento	*Natrum Mur.*; *Pulsatilla*; *Argent. Nit.*; *Silicea*; *Belladona*; *Ignatia*.
Natrum Mur.	Cuando son marcados la ansiedad, el miedo y la incapacidad para relajarse. Ayuda cuando el problema es agudo y reciente, o está asociado con un trauma psicológico.
Pulsatilla	Para la muchacha tímida, rubia, llorosa e inmadura, que es pasiva y voluble. Nunca es igual de un día para otro. También hay una gran intolerancia al calor.
Argent. Nit.	Para la personalidad más fóbica. Empeora con el calor, pero en general es más madura y asertiva que la del cuadro de *Pulsatilla*.
Silicea	Tiene valor en los casos que ya llevan tiempo.
Belladona	Cuando el dolor y los espasmos son marcados.
Ignatia	Ayuda cuando los principales factores están basados en el miedo, la inmadurez y la ansiedad.

Glaucoma

Definición	Aumento de la presión intraocular.
Causas	Hipertensión, senilidad, degeneración.
Síntomas	Dolor, deterioro visual.
Tratamiento	*Aconito*; *Opium*; *Spigelia*; *Gelsemium*; *Bryonia*; *Phosphorus*. El glaucoma sólo debe ser tratado por un médico y no por la familia.
Aconito	Está indicado para la forma aguda de glaucoma.
Opium	Los glóbulos oculares parecen estar expandidos, agrandados y bajo presión. La vista está reducida y nublada, las pupilas fijas.
Spigelia	El glóbulo ocular se siente demasiado grande y salido hacia adentro de la cabeza. Es de gran valor para los dolores agudos, pinchantes y pulsátiles del glaucoma —que particularmente empeoran con el movimiento y por la noche. A menudo hay palpitaciones.
Gelsemium	Uno de los remedios más útiles para el glaucoma. Es frecuente la visión doble, también nublada y disminuida. Los ojos se sienten adoloridos y bajo presión.
Bryonia	La tensión intraocular es elevada y hay dolor intenso, fotofobia y lagrimeo.

Phosphorus   Es útil para disminuir el dolor y limitar los cambios degenerativos.

Belladona   Está indicada cuando el ataque es agudo y violento con inflamación, sequedad y fotofobia.

Gota

Definición

Una enfermedad febril, que se asocia con paroxismos periódicos de inflamación e hinchazón de las articulaciones de las manos y pies con niveles excesivos de ácido úrico en la sangre.

Causas

La acumulación de ácido úrico en los tejidos de las articulaciones afectadas cuya causa es un periodo prolongado de abuso en la dieta, de alcohol y comidas ricas en grasas animales y con alto contenido proteínico.

Síntomas

Dolor, enrojecimiento y calor usualmente en la articulación del dedo grueso del pie.

Tratamiento

Belladona; *Colchicum*; *Arnica*; *Aconito*; *Ledum*; *Urtica Urens*; *Ammon. Phos.*

Belladona

La articulación afectada está roja, caliente, inflamada e intolerablemente delicada y sensible al menor contacto, sacudida o movimiento. Mejora con compresas frías y si se expone al aire frío.

Colchicum

Está indicado cuando hay una inflamación, usualmente del dedo gordo del pie, que está rojo y muy sensible al tacto, a menudo tendiente a cambiar de lugar. A menudo el dolor se cambia de una articulación a otra. Usualmente se asocia con una sensación de llenura abdominal y de debilidad. Son comunes la irritabilidad y el enojo. Uno de los mejores remedios.

223

Arnica	Está indicada cuando el dolor es del tipo de magulladura o torcedura.
Aconito	Es útil en casos muy agudos y dolorosos.
Ledum	Hay dolor en la bola del dedo gordo del pie, que empeora con el calor y movimiento. Hay poca inflamación. Los pacientes son muy friolentos y puede haber nódulos de gota en otras articulaciones.
Urtica Urens	Otro remedio muy útil, particularmente para gota aguda. Hay ardor y comezón intensos, con hinchazón de la parte afectada.
Ammon. Phos.	Para casos crónicos con nódulos.

Gripe

Definición	Infección aguda con el virus de la gripe.
Causas	Usualmente epidemia de gripe.
Síntomas	Postración, fiebre, síntomas de catarro, dolores musculares.
Tratamiento	*Aconito*; *Gelsemium*; *Arsenicum*; *Nux Vomica*; *Bryonia*; *Influenzinium*. Tratamiento en general: Quedarse en cama y tomar líquidos sólo hasta que la temperatura se normalice.
Aconito	Para las etapas tempranas con fiebre, escalofríos y frío, particularmente en los niños.
Gelsemium	Para los casos tempranos con temperatura, fatiga, debilidad y dolores en todo el cuerpo en general, particularmente en el área de la espalda. El paciente está frío, tiene tos, la cara está sonrojada, le lloran los ojos y estornuda frecuentemente.
Arsenicum	Uno de los mejores remedios cuando hay agotamiento, debilidad y postración, escalofrío, inquietud con ansiedad. Son característicos los ardores y hay una abundante secreción nasal ácida y ardiente, con estornudos, sed y conjuntivitis. Comúnmente se asocia con diarrea.
Nux Vomica	Uno de los mejores remedios tempranos para la gripe aguda. El paciente está estreñido, irritable y tiene dolores generalizados en el cuerpo, particularmente en la región de la espalda.

Bryonia

Hay tos seca, fiebre, dolores de cuerpo generalizados, particularmente en las paredes del pecho. Una característica de labios y lengua es la sequedad. El paciente yace postrado e inmóvil puesto que hay agravación por la menor sacudida o movimiento.

Influenzinium

El nosode puede estar indicado en algunos casos severos y refractarios.

Hematemesis

Definición	Vómito de sangre, usualmente fresca y roja brillante.
Causas	Haber tragado sangre por epistaxis, después de una extracción dental, úlcera péptica, irritación de las paredes del estómago por tomar Aspirina.
Síntomas	Los síntomas son la sangre en el vómito.
Tratamiento	*Arnica*. Esta condición requiere atención médica inmediata y hospitalización. Hay que mantener al paciente caliente y quieto en cama hasta que llegue la ambulancia.
Arnica	Se puede dar cada diez o quince minutos para ayudar a combatir el shock por la pérdida de sangre; usar la potencia 6c.

Hemorragia uterina

Definición	Hay una pérdida abundante de sangre durante el flujo menstrual, a menudo inesperada, que puede estar asociada con coágulos.
Causas	Menopausia, fibromas, endometriosis, tumor.
Síntomas	Pérdida abundante de sangre, puede prolongarse durante cinco días o más.
Tratamiento	*Borax*; *Mag. Carb.*; *Arsenicum*; *Pulsatilla*; *Sabina*; *Lachesis*; *Crocus Sat.*; Tintura de *Ustilago*.
Borax	Los periodos menstruales son demasiado abundantes y demasiado frecuentes, hay calambres en la parte baja abdominal.
Mag. Carb.	Hay una pérdida abundante de sangre, peor en la noche.
Arsenicum	Debilidad y pérdida de sangre excesiva.
Pulsatilla	Cuando la pérdida de sangre está asociada con dolor en el bajo abdomen y la espalda. Los síntomas son siempre variables y cambiantes.
Sabina	Está indicada especialmente en mujeres obesas con dolor en los ovarios y con flujo de sangre roja brillante.
Lachesis	Especialmente cuando hay calambres fuertes y bochornos. Son muy marcados el enojo y la irritabilidad.

Crocus Sat.	La pérdida de sangre es indolora, de mal olor, a menudo se expulsan coágulos de color oscuro y empeora con cualquier movimiento.
Ustilago	Un remedio muy útil para casos severos con coágulos negros a menudo asociados con la pérdida de pelo. Siempre empeora con el calor. Se puede tomar como tintura, si es severa.

Hidrocele

Definición	Acumulación de líquido en la bolsa que rodea el testículo.
Causas	Usualmente congénito.
Síntomas	Inflamación del área testicular.
Tratamiento	*Graphites*; *Pulsatilla*; *Iodum*; *Rhododendron*; *Rhus Tox.*; *Arnica*.
Graphites	Inflamación de los testículos que puede ser severa e involucrar a todo el pene. Es común que esté presente un eczema húmedo.
Pulsatilla	Usualmente afecta el testículo izquierdo que es indoloro y lentamente aumenta de tamaño.
Iodum	Ayuda en algunos casos. A menudo el testículo duele y está edematoso y duro. Los síntomas empeoran con cualquier clase de calor.
Rhododendron	Es útil en el caso de hidrocele agudo cuando se da en el lado derecho. A menudo hay incomodidad antes de una tormenta.
Rhus Tox.	Es útil cuando empeora con el frío.
Arnica	Cuando la causa ha sido una lesión o golpe.

Hipocondría

Definición	Una preocupación psicológica por las enfermedades y los síntomas corporales, sean éstos reales o imaginarios.
Causas	Una preocupación anormal por la salud y el cuerpo que puede ser psicológica, o después de una enfermedad, o a causa de un trauma.
Síntomas	Cualquier dolor o síntomas se interpreta como una enfermedad seria.
Tratamiento	*Lycopodium.*
Lycopodium	Éste es uno de los mejores remedios —usualmente cuando se trata de un intelectual que no es deportista y es de hábitos sedentarios y que está preocupado por su propio cuerpo y cualquier síntoma que pueda darse. Usualmente estos casos tienen problemas tanto del aparato digestivo como del sueño, el cual es ligero e intermitente. Es característico el deseo por los dulces y la piel seca.

Impotencia

Definición	Incapacidad de lograr una erección adecuada para un coito y penetración normales.
Causas	Usualmente psicológicas; fatiga; debilidad; anemia; diabetes.
Síntomas	Impotencia, a menudo después de una erección inicial, y con frecuencia empeora si se hace un esfuerzo consciente.
Tratamiento	*Lycopodium*; *Arnica*; *Agnus Castus*; *Argent. Nit.*; *Conium*; *Sabal Serrulata*.
Lycopodium	Éste es un remedio útil en los casos más persistentes.
Arnica	Cuando hay una impotencia temporal que no es de tipo psicológico, está asociada con un traumatismo y magulladura.
Agnus Castus	Tiene valor en las etapas más tempranas del problema.
Argent. Nit.	Cuando hay una marcada ansiedad y miedo al coito.
Conium	Un remedio útil adjunto.
Sabal Serrulata	Cuando la impotencia se da en los ancianos y está asociada con debilidad.

Infertilidad

Definición	La incapacidad de concebir habiendo intentado repetidas veces.
Causas	Múltiples; el problema puede ser del hombre o de la mujer; esto se determina con un perfil de esperma. Inmadurez, stress, debilidad.
Síntomas	No se da el embarazo.
Tratamiento	Remedio constitucional; *Conium*; *Borax*; *Iodum*; *Sepia*; *Aurum*; *Phosphorus*; *Natrum Mur.*; *Silicea*. Inicialmente el remedio constitucional es el más útil.
Conium	Es muy valioso cuando está asociado con pechos adoloridos, menstruaciones escasas y débiles.
Borax	Cuando se asocia con leucorrea.
Iodum	Un remedio adjunto útil para mujeres delgadas extenuadas que son incapaces de aumentar de peso pero que siempre tienen hambre y siempre están comiendo. Totalmente intolerantes al calor.
Sepia	Igual que arriba, donde hay agotamiento, irritabilidad, pérdida de interés libidinal y la apatía es marcada. Todos los síntomas empeoran al atardecer.
Aurum	Como arriba, especialmente cuando la depresión es un rasgo.

Phosphorus	Como arriba, para la mujer delgada, sociable y vivaz, que gusta de la gente y es bien acogida. Las menstruaciones son abundantes y a menudo retrasadas, con ardores. Con frecuencia el interés libidinal es intenso.
Natrum Mur.	Como arriba, en donde son marcados los rasgos nerviosos. Llorosa, quiere que la dejen sola, no busca consuelo, básicamente ansiosa e insegura.
Silicea	Éste es otro remedio muy útil que ha dado buenos resultados.

Insolación

Definición	Parálisis de todas las funciones del cerebro, debida a exposición al calor directo del sol.
Causas	Sol directo, esfuerzo físico en el calor.
Síntomas	Sed, calor, colapso, vértigo, desmayo, congestión de los ojos, pueden dar convulsiones.
Tratamiento	*Belladona*; *Glonoine*; *Natrum Carb.*; Tintura de *Amyl Nitrite*; *Gelsemium*.
Belladona	Hay un pulso fuertemente latente, la cara está roja, sonrojada y los ojos están dilatados y enrojecidos. Usualmente hay un alza de temperatura.
Glonoine	La cara está pálida, los ojos están fijos y hay vómito, un pulso fuertemente latente y respiración pesada. Hay dolor de cabeza severo y punzante, temperatura alta y a menudo pérdida de la conciencia.
Natrum Carb.	Para dolores de cabeza y efectos nocivos en general del calor del verano, particularmente dolores de cabeza y debilidad.
Tintura de *Amyl Nitrite*	Cuando hay dolor de cabeza severo y punzante, con la cara sonrojada y convulsiones.
Gelsemium	Irritabilidad, mareo, característico dolor de cabeza severo del lado derecho. Se agrava con la luz o el movimiento.

Insomnio

Definición	Incapacidad de dormir o de establecer un patrón normal de sueño.
Causas	Tensión, dolor, excitación por anticipación, actividad, enfermedad cerebral, dietéticas, café, té y estimulantes, depresión, inquietud.
Síntomas	Incapacidad de relajarse y dormir, se despierta del sueño.
Tratamiento	*Coffea*; *Chamomilla*; *Nux Vomica*; *Pulsatilla*; *Passiflora*; *Lycopodium*; *Cocculus*.
Coffea	Es útil para insomnio después de beber demasiado café, particularmente cuando hay tensión y agitación, completamente despierto sin ninguna tendencia a dormir.
Chamomilla	El gran remedio para los niños que no pueden dormir por algún dolor, excitación o irritabilidad.
Nux Vomica	Está adormilado al atardecer, el sueño es incierto y no profundo, se despierta entre las 2:00 a.m y 3:00 a.m. A menudo es útil cuando se ha estudiado en exceso, trabajado demasiado, en los que beben café y té en exceso.
Pulsatilla	No pueden dormirse hasta después de la media noche, y se despiertan otra vez como a las 3:00 a.m., para caminar o para tomarse un antojo o bebida fría. Siempre están peor en un cuarto caliente y duermen con los brazos arriba de la cabeza.

Passiflora	Es útil para un sueño intranquilo. Nerviosos y excitables en la noche. La mente está hiperactiva y sobrecargada de ideas y preocupaciones.
Lycopodium	Útil para cuando hay hiperactividad mental en la noche, preocupación por los sucesos del día, incapacidad de dormir hasta el amanecer, cuando se duerme profundamente.
Cocculus	Éste es un remedio útil cuando la persona está agotada, demasiado cansada, puede haber estado cuidando a un inválido durante un tiempo prolongado. Usualmente su mente es hiperactiva en la cama y tiende a ser irritable y un poco voluble.

Laringitis

Definición	Infección de las cuerdas vocales, temporal o permanente.
Causas	Infección, emoción, tumor, shock.
Síntomas	Pérdida de la voz, con ronquera; a veces la garganta está seca y adolorida.
Tratamiento	*Causticum*; *Arnica*; *Ácido Oxálico*; *Phosphorus*; *Aconito*; *Belladona*; *Argent. Nit.*; *Hepar Sulph.*; *Carbo Veg.*
Causticum	Uno de los mejores remedios cuando hay ronquera y una resequedad y sensación de raspadura en la garganta que se siente también bajo el esternón y en el pecho. Está asociada con una tos hueca e irritante. A menudo se pierde totalmente la voz y sólo se puede hablar en susurros.
Arnica	La laringe se siente adolorida e inflamada. Es frecuente una tos irritante. Es particularmente útil cuando la causa ha sido un shock o miedo.
Ácido Oxálico	Una laringitis severa con una sensación dolorosa y de desolladura. Hay una baja considerable y profundización de la voz.
Phosphorus	Hay una ronquera característica que empeora al atardecer y una resequedad dolorosa en la laringe con la voz áspera, y hay dolor al hablar. A menudo está presente una tos seca.

Aconito	Para casos agudos, usualmente debidos a la exposición al aire frío o a una corriente de aire. A menudo hay una inquietud nocturna, y con crup seco, con temperatura y ansiedad. El paciente está frío, tiene la piel seca y la voz ronca.
Belladona	Es útil cuando hay temperatura alta, una cara sonrojada, pupilas dilatadas, sudoración y dolor en la garganta con una tos seca y como ladrido.
Argent. Nit.	Está indicado en laringitis severa, fóbica o histérica severa. A menudo está paralizada por meses una cuerda sin razón aparente. Los síntomas siempre se agravan con el calor y mejoran en el aire libre.
Hepar Sulph.	Éste es un remedio útil para la ronquera que siempre empeora en la mañana, causada y empeorada por un aire seco y frío o corriente de aire y que mejora con el calor. La ronquera de los cantantes o conferencistas responde bien a este remedio.
Carbo Veg.	Para la ronquera sin dolor, que usualmente ha sido causada por exposición al aire húmedo y frío, usualmente empeora en las tardes; frío o sudoroso, con mala circulación.

Leucorrea

Definición	Flujo vaginal, usualmente blanco o claro.
Causas	Inflamación catarral de la mucosa que cubre la vagina.
Síntomas	Flujo con irritación y malestar.
Tratamiento	*Calc. Carb.*; *Alumina*; *Sepia*; *Ácido Nítrico*; *Kreosotum*; *Borax*; *Pulsatilla*.
Calc. Carb.	Flujo persistente, lechoso, amarillo, pies y manos húmedos y fríos. Útil para las niñas antes de la pubertad. A menudo está asociado con ardor en el útero y es característica el hambre por las mañanas.
Alumina	Hay un flujo delgado, irritante, ardiente y blanco, ya sea antes o después de la menstruación.
Sepia	Hay un flujo ofensivo, amarillo verdoso que produce escoriación, es peor antes de la menstruación. Está asociado con estreñimiento y la cara pálida. Es valiosa para la leucorrea infantil. Son comunes los calambres uterinos.
Ácido Nítrico	Uno de los mejores remedios cuando la leucorrea está asociada con mala salud crónica y debilidad, donde hay un flujo ofensivo espeso y verdoso.
Kreosotum	El flujo es amarillo, acuoso y ácido, tiene un olor a grano fresco, es peor después de la menstruación. Está asociado con enrojecimiento, comezón y picazón en la vulva. Puede haber ulceración de la vulva y los muslos.

Borax	El flujo es como clara de huevo transparente y abundante, se siente caliente, usualmente ocurre a la mitad del ciclo, no hay dolor y se asocia con ansiedad general y tensión.
Pulsatilla	Un flujo espeso y lechoso que es agrio, arde y produce escoriación; usualmente está asociado con frío y sensibilidad depresiva. Ayuda para todas las formas de la enfermedad.

Lumbagia (dolor de cintura)

Definición	Dolor en la región lumbar sacro iliaca.
Causas	Cambios artríticos locales, desplazamiento de la espina, reumatismo debido al frío o humedad.
Síntomas	Dolor, rigidez, falta de movilidad, ciática.
Tratamiento	*Natrum Mur.*; *Sepia*; *Ruta*; *Rhus Tox.*; *Calc. Fluor.*; *Nux Vomica*; *Arnica*.
Natrum Mur.	Dolor de cintura fuerte y crónico, especialmente en una persona que toma mucha sal. El dolor siempre mejora con presión firme.
Sepia	Dolor en la parte baja de la espalda que presiona hacia abajo y es crónico, empeora cuando se sienta y mejora si se presiona el área con un cojín. Son característicos el estreñimiento, la irritabilidad y la piel cetrina.
Ruta	Un excelente remedio para lumbago, que empeora al sentarse y acostarse. Mejora con el calor. Generalmente gozan con la lluvia a condición de que estén calientes y no se enfríen.
Rhus Tox.	El problema ha sido provocado por haber estado expuesto al frío y siempre mejora con el calor y movimiento, empeora cuando empieza a moverse habiendo estado inmóvil. Usualmente está mejor con un soporte firme o presión y cuando se dobla hacia atrás.

Calc. Fluor.	Hay ardor, mejora con el movimiento continuo, pero empeora después de descansar. Es característico de la constitución de *Calcarea*.
Nux Vomica	Dolor en la parte baja de la espalda, usualmente empeora por la noche en la cama, de tal manera que la persona se tiene que sentar para poderse voltear. El dolor es sordo y severo, a veces punzante. A menudo se agrava en la mañana. Le son comunes el estreñimiento y la irritabilidad.
Arnica	Cuando es consecuencia de un trauma.

Menorragia (menstruación demasiado abundante)

Definición	Pérdida excesiva durante el flujo menstrual.
Causas	Desequilibrio hormonal, desplazamiento del útero, fibromas, tumores, menopausia.
Síntomas	Hay hemorragia transvaginal o la menstruación se prolonga.
Tratamiento	*Sepia*; *Lachesis*; *Borax*; *Arsenicum*; *Sabina*; *Crocus Sat.*; *China*.
Sepia	Dolores con sensación de tirón hacia abajo en la parte baja del abdomen; agotamiento, estallidos frecuentes de enojo y depresión como rasgo característico.
Lachesis	Dolores severos con expulsión de coágulos, usualmente asociados con un flujo muy abundante o hemorragia. Hay una intensa irritabilidad y los bochornos son un rasgo característico.
Borax	Flujo abundante en la noche.
Arsenicum	Flujo excesivo, en el temperamento característico.
Sabina	Especialmente en mujeres corpulentas.
Crocus Sat.	Flujo abundante (aguado) indoloro, con coágulos, ofensivo, negruzco, el cuerpo está frío.
China	Hemorragia indolora, negruzca.

Menstruación escasa

Definición
: Los periodos menstruales son regulares, pero el flujo es débil, escaso y de poca duración.

Causas
: Constitucional, adolescencia, debilidad, premenopáusica o menopáusica.

Síntomas
: El flujo menstrual es escaso, débil y de poca duración.

Tratamiento
: *Sepia*; *Natrum Mur.*; *Phosphorus*; *Pulsatilla*; *Calc. Carb.*; *Bryonia*; *Aconito*.

Sepia
: Dolor severo en el bajo abdomen, asociado con estreñimiento, tendencia emocional a apartarse y a la soledad.

Natrum Mur.
: Los periodos menstruales nunca han sido bien establecidos desde el comienzo y siempre han sido escasos e irregulares. Unos de los rasgos son tensión nerviosa, inmadurez, depresión y falta de confianza.

Phosphorus
: A menudo el comienzo de los periodos menstruales fue prematuro y luego cesó. Para la joven alta, pálida, delgada, muy brillante y vivaz, pero que también es nerviosa y constantemente requiere atención y apoyo.

Pulsatilla
: Cuando hay ausencia de sed en una constitución débil y pálida.

Calc. Carb.
: Para una joven endeble, cuando el flujo escaso se debe a anemia o a haberse mojado.

Bryonia	Son comunes el mareo, dolores punzantes en el bajo abdomen y tos seca.
Aconito	Cuando está asociado con un súbito enfriamiento o shock, o haberse mojado.

Menstruación irregular

Definición	Los periodos son impredecibles y no hay el ciclo normal de veintiocho días, sino una variación en la duración y el periodo del flujo.
Causas	Fibromas, premenopausia, stress, convalescencia, viajes, infección, menopausia, anemia.
Síntomas	Los periodos son irregulares e impredecibles.
Tratamiento	*Conium*; *Pulsatilla*; *China*.
Conium	Los periodos son irregulares y a menudo están asociados con una hinchazón dolorosa de los pechos.
Pulsatilla	Es útil para un ciclo menstrual irregular y variable. Usualmente es escaso, retrasado o suprimido, hay un desecho pálido y acuoso.
China	Los periodos son irregulares, a menudo demasiado largos y abundantes y están asociados con coágulos oscuros.

Migraña

Definición
Dolor de cabeza periódico, usualmente de un solo lado.

Causas
Casi siempre desconocidas, tensión, alergia al queso o al chocolate, familiar.

Síntomas
Dolor de cabeza, a menudo se instala detrás de un ojo, náusea, fotofobia.

Tratamiento
Lycopodium; *Natrum Mur.*; *Silicea*; *Sanguinaria*; *Pulsatilla*; *Spigelia*; *Thuja*.

Lycopodium
Usualmente el dolor está sobre el ojo derecho. Son comunes la náusea y el mareo. A menudo el dolor empeora en las tardes y como a las 8:00 p.m. y se agrava con la concentración.

Natrum Mur.
Hay un dolor punzante y ardiente, que a menudo se siente en el vértice de la cabeza, es peor en las mañanas, se agrava con el movimiento y el calor.

Sanguinaria
Dolor en el lado derecho de la cabeza, que puede estar asociado con dolor en el área de los hombros.

Pulsatilla
Dolor del lado derecho de la cabeza; los síntomas son muy variables y siempre empeoran con el calor.

Silicea
Dolor en el lado derecho de la cabeza; la migraña empieza en la parte de atrás de la cabeza para instalarse detrás del ojo derecho y de la sien derecha.

Spigelia
Dolor del lado izquierdo de la cabeza, usualmente se asocia con debilidad, desmayos y palpitaciones.

Thuja   Dolor del lado izquierdo de la cabeza, a menudo peor después de vacunarse. La piel es grasosa y son comunes las verrugas.

Miopía

Definición

La incapacidad de afocar la vista, a menos que el objeto se acerque excesivamente al ojo.

Causas

A menudo desconocidas, usualmente la falla es una debilidad de los músculos del lente que normalmente ayudan a afocar sin esfuerzo o incomodidad.

Síntomas

Los objetos se ven borrosos, fuera de foco, y cada vez hay que acercarlos más y más a la pupila y el lente para poderlos ver claramente.

Tratamiento

Physostigma

Physostigma.

Un remedio útil para este problema. Es mejor cuando se da en la 3x potencia, porque actúa sobre los músculos ciliares del lente. Hay un temor muy peculiar al agua fría en cualquier forma, que es una indicación específica para el remedio.

Náusea y vómito

Definición	Necesidad de vomitar, y la regurgitación en sí del contenido del estómago y a veces del intestino superior, con bilis.
Causas	Irritación del estómago, psicológicas, puede ser provocado intencionalmente, anorexia nerviosa, embarazo, síndrome de Meniere.
Síntomas	Mareo, arcadas, debilidad y postración con la regurgitación de, ya sea comida sin digerir o parcialmente digerida. Son características la salivación abundante y la sudoración.
Tratamiento	*Ipecacuanha*; *Arsenicum*; *Ant. Crud.*; *Apomorphia*; *Phosphorus*.
Ipecacuanha	Náusea severa que se traduce en vómito después de las comidas; usualmente la lengua está limpia y la sudoración es marcada. El vómito es verde o mucoso.
Arsenicum	Hay una sensación de calor y ardor, con vómito de sabor ácido después de las comidas, hay náusea, frío generalizado y agotamiento.
Ant. Crud.	La lengua está cubierta de blanco, hay náusea y pérdida del apetito. Es útil para los niños cuando está sobrecargado el estómago o hay excesivo calor de verano.
Apomorphia	Vómito súbito sin ningún aviso y náusea. Útil en los alcohólicos.

Phosphorus   Para los vómitos asociados con úlcera péptica, a menudo de sangre fresca brillante. Usualmente desean bebidas frías pero las vomitan tan luego como se calientan en el estómago. Los ardores son característicos.

Psoriasis

Definición

Un problema crónico no infeccioso de la piel que se caracteriza por áreas secas, escamosas, rojizas y que se desescaman, sin vesículas, a menudo en las áreas de flexión como codos, rodillas y muñecas.

Causas

Desconocidas. A menudo existe una tendencia hereditaria.

Síntomas

Hay una erupción roja circular espesa y elevada que es crónica en varias partes del cuerpo que irrita y tiende a descamarse, agrietarse o sangrar. Puede ocurrir una infección e inflamación de las áreas circundantes.

Tratamiento

Sulphur; *Psorinum*; *Petroleum*; *Arsenicum*.

Sulphur

Uno de los mejores remedios. Es característico que se agrave con el agua.

Psorinum

Cuando hay mucha irritación y comezón, aun sangrado, piel con escamas y que se ve sucia.

Petroleum

Para usarse en casos crónicos, cuando hay fisuras profundas y zonas muy espesas, rasposas, con escamas, que se ven sucias.

Arsenicum

Para los casos más crónicos intratables. La piel está espesa y hay comezón y ardor.

Resfriado común

Definición	Una infección aguda de las vías respiratorias superiores, del tipo catarral.
Causas	Una infección viral aguda.
Síntomas	Estornudos, dolor de cabeza, fiebre, garganta adolorida, ojos y garganta inflamados, usualmente hay una abundante secreción nasal, ya sea clara o espesa y purulenta.
Tratamiento	*Aconito*; *Bryonia*; *Gelsemium*; *Arsenicum*; *Pulsatilla*; *Nux Vomica*; *Mercurius*; *Allium Cepa*.
Aconito	En las etapas tempranas, especialmente habiendo estado expuesto al frío, con fiebre, estornudos, sediento, ardor en el paladar, empeora en una atmósfera mal ventilada.
Bryonia	Tos dura, seca, que sacude, que empeora en el día, a menudo con dolor punzante en el costado y el pecho, empeora con el frío, desea grandes cantidades de agua fría. Se sostiene el pecho y la cabeza cuando tose.
Gelsemium	Para el resfriado ligero y agudo, con una sensación marcada de temblor y escalofrío. Hay una secreción acuosa, la garganta está caliente y seca.
Arsenicum	Moco abundante, delgado, caliente, ácido y escoriante, secreciones y sensaciones ardientes, languidez y postración.

Pulsatilla	Se deteriora el gusto y el olfato, secreción espesa y amarilla (amarillo verdoso) empeora al atardecer o en una habitación caliente, síntomas variables, mejor al aire libre.
Nux Vomica	Uno de los mejores remedios, la nariz se siente apretada, dolor de cabeza, estreñimiento.
Mercurius	Sudoración debida a un resfriado febril y agotador, con una infección severa de la garganta. Con la tos se arroja una flema fétida, amarillo verdosa.
Allium Cepa	Abundante secreción acuosa, estornudos, nariz y labios adoloridos y desollados, empeora en una habitación caliente y mejora con el aire fresco.

Reumatismo

Definición	Inflamación de los tejidos que cubren los músculos y las articulaciones, que provoca una condición de dolor agudo a menudo localizado, a veces con hinchazón.
Causas	Frío, humedad, enfriamiento, corriente de aire.
Síntomas	Dolor, a menudo movible o localizado, que usualmente empeora con el movimiento.
Tratamiento	*Rhus Tox.*; *Bryonia*; *Rhododendron*; *Causticum*; *Pulsatilla*; *Ruta*; *Calc. Hypophos.*
Rhus Tox.	El remedio más importante y singular, los síntomas siempre mejoran con el calor y el movimiento. El reumatismo puede estar en cualquier parte del cuerpo —ya sea en articulaciones grandes o pequeñas. Siempre empeora con el frío y la humedad.
Bryonia	Las características contrastan con las de *Rhus Tox.*, y el de *Bryonia* tiene un reumatismo que se agrava con el movimiento y empeora con el calor.
Rhododendron	Empeora cuando hay cambio de clima o cuando amenaza una tormenta.
Causticum	Es un remedio útil, particularmente cuando están involucradas las áreas del cuello y la quijada. Usualmente los pacientes mejoran con el calor pero no les afecta el movimiento. Usualmente se sienten mejor cuando llueve.

Pulsatilla	Un remedio muy útil para el temperamento de *Pulsatilla*.
Calc. Hypophos	Un remedio muy útil para los dolores reumáticos agudos de las muñecas y manos.
Ruta	Útil en el reumatismo de las rodillas y también de la cintura y de las articulaciones grandes.

Sabañones

Definición	Condición leve inflamatoria de la piel, provocada por el clima frío que se asocia en general con la mala circulación de la piel.
Causas	Exposición al frío sin la protección adecuada, calentar las manos heladas, mala circulación.
Síntomas	Enrojecimiento azuloso, comezón y una ligera hinchazón de las partes afectadas. Usualmente las manos y los pies pueden ulcerarse.
Tratamiento	*Agaricus*; *Rhus Tox.*; *Sulphur*; *Pulsatilla*; *Carbo Veg.*; *Nux Vomica*; *Petroleum*; *Calc. Carb.*; *Belladona*; Pomada de *Tamus*; *Calendula*.
Agaricus	Cuando hay enrojecimiento, ardor, comezón, y empeora con el frío.
Rhus Tox.	Si están inflamados con comezón.
Sulphur	Si hay comezón, empeora con el calor, y en casos obstinados.
Pulsatilla	Si está azuloso, hay dolor picante y ardiente, y empeora al atardecer.
Carbo Veg.	Los sabañones dan comezón y arden, particularmente con el calor de la cama. Ayuda si se mejora la circulación en general en el área afectada.
Nux Vomica	Tenso, irritable, está peor con el viento y las corrientes de aire.

Petroleum	Cuando la piel está abierta y agrietada con una tendencia a ulcerarse, hay comezón y ardor, rozaduras y las puntas de los dedos están rajadas.
Calc. Carb.	Pies húmedos y fríos, mejora con el frío.
Belladona	Rojo brillante, hinchados y punzantes.
Pomada de *Tamus*	Un remedio específico útil, particularmente cuando las áreas afectadas se ven azulosas.
Calendula	Estimula la curación. Se puede aplicar localmente como tintura o se puede tomar internamente.

Tortícolis

Definición	Rigidez en la región del cuello, debida a reumatismo (muscular).
Causas	Corrientes de aire, frío, enfriamiento, tensión.
Síntomas	Rigidez, inmovilidad en el área del cuello, incomodidad.
Tratamiento	*Aconito*; *Causticum*; *Cimicifuga*; *Lachnanthes*.
Aconito	Cuando el ataque es agudo, debido a exposición a una corriente de aire frío. Hay inquietud y ansiedad.
Causticum	Un remedio útil para reumatismo y rigidez, usualmente se siente mejor si llueve.
Cimicifuga	Otro remedio posterior útil cuando hay dolor severo, que se alivia con presión.
Lachnanthes	Para tortícolis del lado derecho, asociada con sudor y dolor en el antebrazo y el codo.

Tumores uterinos (fibromas)

Definición	Una tumefacción no maligna del útero, del tipo fibroso.
Causas	Desconocidas.
Síntomas	Tumefacción, incomodidad, menstruaciones irregulares y a menudo severas hemorragias.
Tratamiento	*Sepia*; *Calc. Iodide*; *Lachesis*; *Aurum Mur.* El diagnóstico debe ser confirmado por el médico o cirujano.
Sepia	Es útil para todos los tumores uterinos, cuando están asociados con dolores de pujo y en el cuadro clínico de *Sepia*.
Calc. Iodide	Éste es uno de los remedios más útiles y básicos que se pueden recetar.
Lachesis	Es valioso para después de *Calc. Iodide*.
Aurum Mur.	Uno de los remedios más valiosos para el tratamiento de fibromas. Debe darse durante un periodo prolongado, de varios meses para que sea efectivo.

Úlcera péptica

Definición	Ulceración de la mucosa del estómago, usualmente del píloro.
Causas	Stress, acidez, constitucional, familiar, emociones reprimidas.
Síntomas	Dolor, indigestión, flatulencia, acidez después de las comidas.
Tratamiento	*Uranium Nit.*; *Kali. Bich.*; *Ornithogalum*; *Argent. Nit.*; *Arsenicum*; *Atropium*; *Nux Vomica*; *Lycopodium*; *Anacardium*.
Uranium Nit.	Dolores mordientes, a menudo en las tardes o después de comer, acidez. Usualmente los síntomas se sienten en la parte alta del abdomen.
Kali. Bich.	Náusea, vómito y formación mocosa con ardores en la región del estómago, usualmente peor después de haber comido.
Ornithogalum	Un remedio muy valioso para las úlceras pépticas.
Argent. Nit.	Cuando hay flatulencia, dolores mordientes en la boca del estómago, que empeoran con la comida y la presión. Hay un deseo de dulces que usualmente agravan el problema, hay intolerancia al calor, y está fuertemente asociado un elemento fóbico nervioso.
Arsenicum	Es útil cuando hay ardores severos y postración, hay dolor inmediatamente después de la comida, falta de apetito, a menudo hay diarrea.

262

Atropinum	Dolores severos en la parte media del abdomen asociados con náusea y vómito, usualmente mejoran con la comida.
Nux Vomica	La persona está irritable, los dolores empeoran en la mañana, es común el dolor de cabeza, mejora si vomita, y empeora después de comer; usualmente el dolor ocurre media hora después de comer. El estreñimiento es característico.
Lycopodium	Hay flatulencia, dolor inmediatamente después de comer, la más mínima cantidad de comida causa una sensación de estar repleto, hay un deseo de dulces, y si se retrasa la comida no come, hay angustia.
Anacardium	El dolor ocurre usualmente dos horas después de comer, con dolor epigástrico indefinido que se extiende hacia la espalda. Siempre se sienten mejor después de comer.

Urticaria

Definición	Un problema agudo de la piel, que se caracteriza por la erupción de ronchas, a menudo redondas, pero pueden ser de forma irregular, rojas como erupción de ortiga. No es contagiosa.
Causas	Usualmente desconocidas, a menudo hay un factor alérgico o emocional.
Síntomas	Generalmente no hay otro efecto, más que la aparición de las ronchas, a menudo en la primavera o el verano, con una irritación ardiente y hormigueante.
Tratamiento	*Aconito* (si es muy aguda y febril); *Urtica Urens*; *Sulphur*; *Apis*; *Chloral Hydrate 3x*.
Aconito	Para casos muy severos y agudos de alergia, con agitación, inquietud, ansiedad y colapso.
Urtica Urens	Un remedio básico confiable. Hay una irritación picante con comezón y agitación. Tanto el tacto como el agua la agravan.
Sulphur	Para casos crónicos, con hinchazón, comezón y enrojecimiento. Puede haber ulceración e infección en el área afectada.
Apis	Las erupciones son de carácter pinchante y están tumefactas.
Chloral Hydrate 3x	Si los remedios anteriores no la controlan; empeora con el calor de la cama.

Venas varicosas

Definición	Hinchazón, irregularidad, vericosidad de las venas, usualmente de las piernas; también puede involucrar el área anal.
Causas	Embarazo, el peso del feto que hace presión sobre el sistema venoso de retorno, que causa estasis y presión sobre la espalda.
Síntomas	Hay una hinchazón irregular y tortuosidad de las venas afectadas, con dolor en el área, y a veces un eczema suprayacente, con enrojecimiento, comezón e irritación. A menudo todo el miembro está pesado y a veces hinchado.
Tratamiento	Tintura de *Hamamelis* localmente; *Pulsatilla*; *Aconito*; *Silicea*; *Ac. Fluor*; *Carbo Veg*.; salvado (para aminorar el estreñimiento como una posible causa).
Tintura de *Hamamelis*	Aplicar localmente, cuando es aguda.
Pulsatilla	Después del parto.
Aconito	Cuando se debe a fatiga y largos periodos de estar de pie.
Silicea	Cuando no está complicada, a menudo está asociada con una infección en alguna parte del cuerpo, y extremidades frías y húmedas.
Ac. Fluor	Para casos sencillos sin complicaciones.
Carbo Veg.	Cuando está asociada con mala circulación.

Visión con manchas

Definición
Pequeñas partículas semi transparentes, a veces brillantes, que flotan en el campo visual, a menudo al cambiar de posición, que usualmente duran poco.

Causas
Desconocidas.

Síntomas
La molestia de los puntos en el campo visual.

Tratamiento
China; Ácido Fosfórico.

China
Es útil cuando están asociados con debilidad general y fatiga.

Ácido Fosfórico
Hace bien después de *China*.

Vómito

Definición	Regurgitación urgente del contenido del estómago, a menudo con fuerza.
Causas	Varían enormemente, comúnmente se debe a comer demasiado, excesos en la dieta, emoción, enfermedades infecciosas.
Síntomas	Náusea, sudoración, debilidad, pérdida del apetito, mareo, decaimiento. Puede ser claro, contener bilis, sangre, moco, comida sin digerir, gran cantidad de líquido.
Tratamiento	*Ipecacuanha*; *Arsenicum*; *Kreosotum*; *Ant. Crud.*; *Zincum*; *Nux Vomica*.
Ipecacuanha	Simple, con náusea y diarrea.
Arsenicum	Postración, vómito, sensación de ardor en el estómago, frialdad de las extremidades.
Kreosotum	Vómito crónico persistente.
Ant. Crud.	Náusea, la lengua está blanca y sucia, el estómago se siente pesado.
Zincum	La comida se expulsa súbitamente, sin arqueo.
Nux Vomica	El mejor remedio cuando los síntomas vienen después de un periodo de indiscreción en la dieta.

4

EL RETO DE LA
EDAD MADURA

Éste es uno de los periodos más activos y fructíferos de la vida, a menudo la persona madura está libre de muchas de las presiones financieras agudas de la pareja más joven y, para la mayoría de la gente, hay mayor estabilidad en el campo del trabajo. Muchas de las urgencias y exigencias de los años más tempranos han aminorado, y esto permite tener tiempo para lograr que fructifiquen muchos de los deseos e ideas que no fueron posibles antes por no haber tenido suficiente tiempo y dinero, y las presiones de las necesidades de la familia que se estaba desarrollando. Usualmente el hogar es más seguro y se ha establecido un círculo de amigos.

Aunque son menos dependientes físicamente, a un nivel emocional los hijos siguen necesitando apoyo paterno todavía por algunos años más. Es un momento de logros y éxitos, se llevan a cabo planes y ambiciones con oportunidades de expansión y desarrollo personal, basados en la experiencia, los logros y el status interior que conllevan. A menudo la pareja todavía está ocupada, pero más bien por opción y por gusto que por obligación; sin embargo, al mismo tiempo, la edad madura es un tiempo de autoevaluación.

Después de haber logrado ciertas ambiciones, particularmente las materiales más tempranas, frecuentemente hay un sentimiento de estar un poco atrapados por las cosas y eventos que se planearon a través de los años. Puede haber un sentimiento de sinsabor y desilusión, de haber logrado un reconocimiento exterior y un éxito que no necesariamente satisface necesidades espirituales más sutiles y profundas. Éstas son menos fáciles de definir y no siempre se resuelven asistiendo a la iglesia o con las prácticas religiosas formales.

Otros sienten que no han logrado la sensación de acercamiento que habían deseado en sus años más tempranos, y la acumulación de estos sentimientos puede llevar a la depresión, una sensación de haber desperdiciado los años y haber perdido el tiempo. Todo esto puede ocurrir cuando comienza la decadencia física, especialmente cuando se ha descuidado el cuerpo en general y el ejercicio físico. Tales sentimientos de autoevaluación y duda son particularmente comunes en los que andan en los principios de los cuarenta años, aunque no siempre aparezcan como casos muy claros de depresión.

Puede haber arranques emocionales, o problemas de insomnio, con una sensación generalizada de desgaste, de estar cada vez más propenso a resfriados recurrentes y tener poca resistencia. A menudo se visita frecuentemente al doctor con quejas imprecisas y triviales que parece que nunca se acaban de componer. Es común el dolor de espalda recurrente, que responde bien a *Natrum Mur.* o *Sepia*, que atacan tanto el dolor crónico como cualquier rasgo emocional subyacente. Son frecuentes los problemas de acidez e indigestión que quizá pueden desembocar en una úlcera péptica, y también es común la obesidad con intentos inútiles de hacer dietas. Todos estos problemas físicos se agregan a la sensación de fracaso, derrota y de que la juventud y las esperanzas son cosas del pasado.

Como un escape de tales dudas, puede darse el alcoholismo y aumentar la depresión subyacente y la debilidad física. A menudo esta dependencia de la bebida se ha venido desarrollando lentamente a lo largo de un periodo de varios años. Esto es especialmente cierto en los casos en los que la *Nux Vomica* ayuda, y están típicamente asociados con brotes periódicos de depresión e irritabilidad, usualmente en las mañanas.

Al mismo tiempo puede haber problemas de stress conyugal. En los hombres puede ser quizá un amorío con una persona más joven en búsqueda de las esperanzas y aspiraciones de la juventud, aunque esto de ninguna manera resuelva los problemas básicos de ajuste a los cambios del presente. Las mujeres pueden ser igualmente promiscuas, y tener sus amoríos, ya sea en la realidad o en la fantasía. Frecuentemente se quejan del matrimonio, de la vida en general, y de qué tan abandonadas se sienten, negando totalmente su rol y responsabilidad en estas dificultades. El remedio clásico para estos dilemas es la *Sepia*.

En otros tales problemas no parecen ocurrir, y hay un periodo más de intensa actividad, una continuación del torbellino social lleno de planes, con una fuerte determinación de seguir jóvenes y enérgicos, de tal manera que niegan completamente cualquier crisis, depresión o problema de autoanálisis. Con tales gentes de orientación activista, el juego es lo que importa, más que los jugadores, y estos jugadores incluyen a toda la familia y los que los rodean.

Otros sienten que les han sido negadas las oportunidades en la vida, porque no han sido capaces de lograr una ambición o posición de status que para ellos simboliza el éxito. Se sienten deprimidos, y su cliché favorito es haber "perdido el barco, estar demasido viejos, o que ya es demasiado tarde". Desgraciadamente se quejan de que debían haber trabajado más fuerte, planeado de una manera diferente o haber aprovechado una oportunidad anterior cuando se les presentó. De una manera derrotista creen que han perdido la oportunidad irreversiblemente y constantemente se lamentan de su suerte, aduciendo que no pueden hacer nada para remediarlo. Hay una tendencia a vivir en el pasado y al resentimiento y a menudo envidiar a otros que han sido más afortunados. En general, hay una sensación de fracaso e inutilidad, que es tan negativa como la crisis más espiritual del hombre de éxito.

A menudo estas quejas esconden un miedo a cambiar o a aceptar una oportunidad que se está presentando, tal como un nuevo trabajo o un puesto más avanzado, en donde hay tanto prospectos como avances. Frecuentemente tales oportunidades han estado presentes durante algunos años y nunca se aprovecharon por el conflicto que representaba el deseo de quedarse en una situación conocida, estática y el deseo de atreverse a lograr una ambición largamente acariciada. Tales gentes son los morosos de la vida, e inevitablemente esto afecta no sólo a la persona involucrada, sino a los que la rodean, y las indecisiones, los lamentos y las quejas se alargan sin que se vea un final posible o tengan una solución a la vista.

La tensión y el desgaste son comunes y a menudo emergen como fatiga general y agotamiento. Esta tendencia a permancer ocioso y estático se da a conocer en los síntomas intestinales, con problemas de estreñimiento crónico y hemorroides. La *Nux Vomica* y la *Bryonia* son importantes remedios para aliviar la irritabilidad en general y el estreñimiento tanto de la mente como del cuerpo. Cuando se prescriben en la potencia suficientemente alta, a menudo pueden ayudar a la persona a tomar una decisión más fácilmente y a sobreponerse a una condición crónica.

Para otros hay una tendencia a la rigidez y a trabajar demasiado, negándose la necesidad de relajarse o a hacer cualquier cambio o ajuste para ampliar sus intereses y así prepararse para una jubilación eventual. Con tales personas puede haber un aumento en el trabajo a costa de la salud, el sentido común y el bienestar. Cuando hay un problema de esta naturaleza, con una marcada rigidez de actitud, el *Arsenicum* disminuye las tensiones y alivia.

A menudo las mujeres tienen dificultades con los síntomas de la menopausia. Pueden tener hemorragias, o el flujo puede ser pálido, efímero e irregular. A veces las menstruaciones desaparecen totalmente por varios meses, sólo para volver con regularidad por algunas semanas. Naturalmente tales problemas de desequilibrio hormonal y reajuste causan mucha confusión emocional hasta que, ya sea que la menstruación cese totalmente o que vuelva a un ritmo normal.

Los fibromas también son comunes y causan inflamación abdominal, a menudo menstruaciones anormalmente abundantes y una sensación en la región pélvica como de pesadez. A menudo son curativos los remedios como *Calc. Iod.* y pueden disminuir permanentemente el tamaño de los fibromas. Cuando la pérdida es incontrolable, severa y pesada, puede ser necesaria la cirugía, pero en muchos casos no se requiere y puede darse un retorno rápido a la salud en unas cuantas semanas. Cuando la anemia es una complicación, pueden ser necesarios tratamientos adicionales.

La *Sepia* es un buen remedio para muchos problemas difíciles de la menopausia y es particularmente valiosa en casos de prolapso. *Lachesis* es otro remedio clave en estos casos, para calambres, bochornos e irritabilidad. La *Pulsatilla* también ayuda para el problema común de los bochornos.

Los hombres también pueden tener problemas de menopausia con síntomas de bochornos, y pasan por crisis psicológicas similares a las de las mujeres. Debido a las fuertes ligas con el hogar y la familia, que sirven como apoyo psicológico, y también porque muchos de los problemas de las mujeres se expresan físicamente, como en el caso del cambio, tales trastornos psicológicos frecuentemente son menos severos que en el varón. Sin embargo, algunas mujeres pueden trastornarse psicológicamente, volviéndose llorosas, hipocondriacas y miedosas, traduciendo cualquier ligero dolor o síntoma en un cáncer o un ataque al corazón. Hay una tendencia común a identificarse con algún pariente que haya muerto en la edad madura, recreando todos los síntomas de esa enfermedad y reviviendo la pérdida y el proceso de aflicción y duelo. Para estos trastornos depresivos son muy útiles el *Natrum Mur.* o la *Ignatia*.

Puede haber una tendencia a la obesidad y a comer compulsivamente como un intento de aliviar tensiones subyacentes. A menudo tales problemas agravan cualquier depresión subyacente y además pueden provocar problemas de vesícula biliar o de digestión, y en algunas la hipertensión. La baya de *Phytolacca* en su forma de tintura madre puede ser un buen tratamiento cuando se combina con una dieta que controle las calorías.

En todas las edades son importantes los intereses y los pasatiempos fuera del campo de trabajo, particularmente en la edad madura. Son una preparación importante para la edad de la jubilación y ayudan a prevenir enfermedades. Los intereses son importantes tanto para las mujeres como para los hombres y la mayoría de la gente los desarrolla espontáneamente a lo largo de varios años. Sin embargo, otros están menos preparados, y tienen menos intereses. En tales casos puede ser agradable la pintura, el aprendizaje de un idioma o de un instrumento musical o deporte, proporcionando así una salida y un medio de contacto con otros.

Todo esto estimula y ayuda a prevenir la soledad, variando según el temperamento y las actitudes básicas de cada persona. Lo esencial es que facilitan un contacto compartido con otros que es una parte tan importante de vivir saludablemente. Muchos continúan haciendo planes para un deporte activo toda su vida, como el golf, squash o tenis, y juegan regularmente durante la edad madura, conservando un alto grado de buena salud, energía y contacto social. Todo esto ayuda a contrarrestar muchos de los frecuentes problemas físicos y psicológicos de este periodo.

También hay el placer de los nietos sin las tensiones e inexperiencia de la pareja joven, de tal manera que es posible disfrutarlos con más tranquilidad. Desafortunadamente, cada vez es más común el divorcio o separación de cuando menos uno de los hijos, y a menudo es necesario físicamente volver a vivir con los padres por un temporada mientras se logran los ajustes psicológicos y de hospedaje. Esto puede ocasionar mucha presión y ansiedad a los padres, particularmente si se dejan involucrar demasiado en estos problemas altamente emotivos. A menudo apoyar y permanecer neutrales, más que dejarse llevar por el stress psicológico del rompimiento, es lo mejor para la salud y el buen sentido.

La pareja en sí tampoco es totalmente inmune al rompimiento matrimonial. Es común que ocurran separaciones y divorcios en esta edad en el caso de un matrimonio en que los problemas básicos e insatisfacciones han sido enterrados y negados a través de los años. Es en este periodo de revisión de la edad mediana, en que se enfrentan tales problemas. En lugar de continuar con un matrimonio que es más una apariencia que una sociedad compartida real, se puede tomar la decisión de una separación.

Con la edad se da inevitablemente una tendencia a ser más vulnerable a las enfermedades, a menos que se haya mantenido un alto nivel de salud y resistencia a través de los años. La homeopatía juega un rol muy importante para incrementar esta resistencia en general, y liberar las energías vitales protectoras del cuerpo para mantener la salud. Esto es de particular importancia cuando hay un bajo nivel de salud como resultado de un stress físico o de problemas emocionales agotadores. Usualmente se logran los mejores resultados si se receta el remedio constitucional del individuo.

Los resfriados y la tos, la bronquitis y las gripas son comunes tanto en los hombres como en las mujeres, y éste es un periodo en que se pueden dar la hipertensión, la angina de pecho y las enfermedades del corazón. Se puede ayudar en todos estos problemas con remedios homeopáticos bien escogidos. Son comunes los problemas digestivos, como estreñimiento, flatulencia, diverticulitis y dolencias de la vesícula biliar, particularmente cuando hay un alto grado de stress subyacente junto con una dieta deficiente. Usualmente el reumatismo y la artritis son leves en esta edad aunque algunos casos pueden ser severos y dolorosos. Generalmente, la respuesta a los tratamientos homeopáticos es positiva a menos que la enfermedad sea excepcionalmente severa y de largo tiempo atrás. La alopecía es común en los hombres, debido usualmente a causas hereditarias, pero también puede ocurrir en ambos sexos con el strees y cuando la dieta es deficiente en vitaminas B esenciales. Se logra una buena respuesta con la prescripción homeopática de *Lycopodium* y *Vinca Minor*.

A menudo las semillas de las enfermedades se han sembrado en años anteriores, cuando el tratamiento y la prevención hubieran podido ser más fáciles. Tal es el caso de fumar demasiado, el uso de algunas drogas, tranquilizantes y sedantes durante un periodo prolongado; stress y esfuerzo; exceso de trabajo, falta de descanso y ejercicio; todo esto incide para hacer que el tratamiento sea más largo y difícil.

Si hay una relación armoniosa entre la pareja, la mayoría de los problemas se pueden aliviar con facilidad y a menudo no son más que irritaciones menores. Sin embargo, es esencial que el nivel de salud se mantenga alto, tanto física como emocionalmente, y ejemplarmente debe continuarse durante toda la vida alguna forma de ejercicio como natación o caminata. A algunas parejas les gusta reunirse regularmente para hacer yoga o ejercicio en el club local y lo encuentran agradable. Lo esencial en el ejercicio es siempre el ritmo, la regularidad, la uniformidad y la satisfacción, evitando siempre el demasiado esfuerzo y el exceso.

El control de peso es importante para mantener la salud, y cuando hay una tendencia a la obesidad el peso debe reducirse a través de un periodo de meses hasta lograr el nivel ideal para la altura y la edad. En general es mejor evitar las grasas, particularmente las de origen animal, o cuando menos ingerir pocas. Aun cuando el peso sea satisfactorio la ingestión de calorías nunca debe ser excesiva. Para la mayoría de la gente, se recomienda un desayuno ligero añadiéndole salvado, excepto cuando haya trabajo físico pesado, en cuyo caso el desayuno puede ser más abundante.

Idealmente debe tomarse diariamente algún alimento crudo ya sea como ensalada o fruta fresca. El café cargado y el té son estimulantes y deben tomarse con moderación, ya que agotan el sistema nervioso y causan agitación. Hay que tomar la sal con moderación ya que, como todos los preservativos, tiende a afirmar y endurecer las estructuras celulares y disminuir la elasticidad. En los años maduros no se recomienda tomar más de las cantidades moderadas que se usan para cocinar. La sal es un factor significativo que causa retención de agua y elevación de la presión arterial, aumentando el volumen de líquido en la circulación y creando trabajo extra y esfuerzo para el corazón.

Problemas como las cataratas se agravan cuando menos en parte por la ingestión excesiva de sal a través de los años. Uno de los mejores remedios para estos problemas y que puede ser de enorme beneficio, es el cloruro de sodio homeopático en la forma de *Natrum Mur*. Las mejores y más sencillas medidas que se pueden tomar para evitar problemas del corazón y de la circulación en la edad madura y posterior es evitar la ingestión excesiva de sal.

Para la mayoría de la gente es mejor evitar totalmente la ingestión de alcohol en forma de licor, aunque la cerveza y el vino son perfectamente aceptables con la condición de que se disfruten con moderación. Aparte de ser una costumbre social, el cigarro tiene muy poco de recomendable para la salud, y no se recomienda en esta edad. No fumar beneficia la salud y los niveles de energía considerablemente. La mujer que todavía está tomando la píldora por cualquier razón, debe dejar de fumar por los peligros que implica de complicaciones del corazón y de la circulación.

Para la mayoría de la gente, la época de la edad madura no es la más fácil de vivir, a pesar de la disminución de las presiones financieras y de trabajo. A menudo son años inquietantes e indecisos que conllevan cambios profundos y personales tanto en el cuerpo como en la mente. Hay profundos ajustes que hacer físicamente, ya que hay un cambio en todos los aspectos del reloj fisiológico, que implican cambios al nivel circulatorio, hormonal y energético. También se dan cambios psicológicamente complicados, cuando menos tan importantes como los físicos, con sus fluctuaciones de humor, actividad, libido y sentimientos. Estos trastornos pueden brotar frecuentemente como ataques de depresión y languidez, o a veces como sobreactividad.

Ésta es esencialmente una época en la que todos los aspectos del yo y sus relaciones se cuestionan, y esto inevitablemente incluye la relación marital. No es sorprendente que estas presiones causen fácilmente enfermedades o postración, que se pueden dar a nivel físico como puede ser un ataque al corazón, una úlcera duodenal o hipertensión en una persona sana hasta ese momento. En otros se da un trastorno depresivo, o un estado fóbico que se traduce en agorafobia, o a veces un problema totalmente diferente, pero igualmente preocupante, como la pérdida de la fe. La homeopatía puede ayudar a resolver muchos de estos trastornos fisiológicos —por ejemplo, los problemas de los bochornos, migrañas y palpitaciones. También puede ayudar a los trastornos psicológicos subyacentes el abrir la mente a perspectivas más sanas y proporcionar una pausa calmante para una reflexión más equilibrada.

Algunos casos típicos

Me vino a ver un hombre de cuarenta y ocho años quejándose de que la glándula salival debajo de su quijada izquierda le dolía y estaba hinchada y le había dado problemas durante los últimos seis meses. El problema era intermitente y había sido diagnosticado como un bloqueo inflamatorio del ducto de la glándula salival por una piedra. Cuando lo vimos, la glándula estaba muy grande y sensible. Una segunda queja era que sangraba por hemorroides, que sufría en los últimos seis años; le habían operado dos años antes, pero le habían vuelto sin cambio un año después.

Aunque gozaba de buena salud en general, su nivel de energía estaba bajo y se cansaba rápidamente. En general estaba de buen humor, era bastante limpio y aseado, prefería los días tibios, brillantes y soleados, pero le disgustaba el calor. Gustaba de todos los alimentos, particularmente la sal, mantequilla, crema y miel.

Le dimos inicialmente *Baryta Carb.* a la 10M potencia junto con *Hamamelis* en la sexta potencia. Dos semanas después reportó que las hemorroides habían desaparecido completamente, y que ya no había más sangrado ni irritación. La condición salival no había cambiado; entonces se le recetó el nosode específico para las glándulas salivales, *Parotidinum* seguido por *Baryta Carb.* a la sexta potencia, y después *Nux Vomica* y *Sulphur.* Un mes después el problema de la glándula salival había desaparecido completamente y ya no había más síntomas, ni había rastros de la hinchazón. Seis meses después no había habido recurrencia ni del problema de la glándula salival ni de las hemorroides.

* * *

Vino a verme una mujer casada de cincuenta y cinco años, porque tenía una erupción como de sarampión en la parte alta del pecho que le había surgido gradualmente durante los últimos ocho o diez días. La erupción era irregular, rojo brillante, y le causaba una ligera irritación. No había tenido contacto con enfermedad infecciosa alguna, y el problema se diagnosticó como un eczema alérgico de origen incierto. Recetamos *Sulphur* en alta potencia, en una sola dosis fraccionada, y después de cuatro semanas el salpullido había desaparecido completamente.

Había otro problema con una larga historia de fiebre del heno, marcada por estornudos, irritación de los ojos y catarro. Esta condición siempre empeoraba si se exponía al polen de abedul, lo cual fue confirmado por pruebas de alergia en la piel, y usualmente se ponía peor durante los meses de abril y mayo. En marzo le dimos *Kali. Carb.* en la alta potencia de 10M, y le ofrecimos un remedio específico de polen de abedul que se consiguió. Sin embargo, este último no fue necesario porque por primera vez en muchos años, no tuvo ataques de estornudos o de fiebre del heno ni otros problemas alérgicos; la paciente quedó perfectamente bien y libre de todos los síntomas.

* * *

Una mujer de cuarenta y ocho años vino con su esposo, porque durante los últimos seis meses había perdido la confianza totalmente y no tenía interés en nada. Estaba severamente deprimida, se despertaba preocupada y llorando, no tenía apetito debido a lo cual perdió 21 kilos durante el tiempo de la enfermedad. Sólo hacía lo que tenía que hacer en la casa y nada más. Usualmente se sentía peor en la mañana, y a menudo se despertaba preocupada alrededor de las 4:30 a.m. Se le había caído y adelgazado considerablemente el cabello durante este tiempo, lo cual era una fuente más de ansiedad. Se sentía muy insegura cuando estaba sola y se apegaba a su esposo.

Todos estos problemas habían empezado poco tiempo después de que se había casado su hija, y desde entonces nunca se había sentido realmente bien. A menudo estaba irritable, y en algún momento había contemplado el suicidio, pero no en las últimas semanas.

Inicialmente le dimos *Lycopodium* a la 10M potencia, tomando en consideración su horror de estar sola, su piel seca, la pérdida del cabello y su marcada preferencia por los dulces. Dos semanas después reportó que definitivamente se sentía mejor, que sólo había tenido dos días "malos", y que dormía mucho mejor. Pero cuando la volví a ver dos semanas después, estaba otra vez nerviosa, llorosa y desesperada, se despertaba a las 5:00 a.m. y sentía que nunca se iba a mejorar. Recetamos *Kali. Carb.* en alta potencia, particularmente por su miedo marcado a estar sola.

Dos semanas después estaba menos irritable y no tan agotada, pero todavía no tenía confianza y tenía muchos días "malos" y lloraba mucho. Sus periodos menstruales eran irregulares, y le venían como diez días antes. También se quejaba de dolores reumáticos en la rodilla derecha. Prescribimos *Pulsatilla* y dos semanas después estaba mejor, había empezado a trabajar, y sólo se preocupaba y lloraba poco. Estaba mucho más relajada y por primera vez, sonreía. La paciente nunca pensó en el pasado desde entonces. La vi dos veces más cuando ya tenía confianza y bienestar, y a los seis meses no había habido recurrencia de su problema.

* * *

Vino un hombre de cincuenta y cuatro años, casado por segunda vez por dos años y medio, que había tratado desde entonces de tener un hijo sin haberlo logrado. Los exámenes que se hicieron demostraron que la esposa no tenía nada anormal, pero que él había desarrollado anticuerpos que estaban reduciendo la movilidad de sus espermatozoides. Durante el primer matrimonio, veintiocho años antes, había tenido los mismos problemas, y en ese tiempo había tenido anormalidad de los espermas.

La causa del problema parecía remontarse al año de 1947, cuando había tenido paludismo en la India, lo que le había ocasionado una infección masiva del escroto. Tomando en cuenta las tensiones de trabajo y la preocupación por su problema, y también porque era un consumidor consumado de sal, así como de dulces, se le prescribió *Natrum Mur.* en alta potencia, seguido de *Silicea* a la sexta potencia. Dos meses después empezó con dolor de cintura y entumecimiento en ambas piernas, la recurrencia de un viejo problema crónico de la espalda. Con manipulación ajustamos la columna al nivel de la tercera vértebra espinal que era el nivel en donde se había desplazado, y le dimos *Lycopodium* y enseguida *Silicea* como antes.

Tres meses después lo vimos y le hicimos un perfil de esperma; éste demostró una mejoría definitiva contra unos exámenes anteriores, habiendo encontrado una movilidad en los espermatozoides mejor que el nivel normal, y un número y perfil de éstos, completamente normal.

* * *

Vino a verme un hombre de cincuenta y cinco años quejándose de severas dificultades porque orinaba frecuentemente durante los últimos dos años. Por exámenes que le habían hecho en algunos hospitales se había confirmado que tenía la próstata agrandada. En una ocasión durante este tiempo tuvo retención aguda de orina y hubo que hospitalizarlo para que le hicieran una cateterización. Tres meses antes la orina había dejado de fluir, y existía la amenaza de que ocurriera otro episodio igual. Su trabajo le exigía que viajara mucho, le provocaba mucha presión y a menudo estaba muy irritable y de mal humor. En general le disgustaba el calor, y prefería los climas templados. Los alimentos que le gustaban eran las comidas grasosas y condimentadas, y le desagradaba cualquier cosa salada.

A menudo el flujo de la orina era variable, a veces débil y a veces forzado, con una tendencia a escurrir al final. Por la noche se veía obligado a levantarse de la cama para orinar cuatro o cinco veces y esto le estaba agotando porque le interrumpía el sueño.

Le dimos *Sabal Serrulata* en alta potencia seguida por el mismo remedio a la sexta potencia. Un mes después, reportó que la orina fluía con más fuerza y que por varias noches ya no se había tenido que levantar. Después de un mes más había una mejoría definitiva y estaba menos consciente de tener un problema de "vejiga". Seis semanas después decía que la mejoría era total, y que "ya no pensaba en eso". Todavía había variabilidad en la calidad del flujo de la orina, pero a menudo éste era muy fuerte. Seis meses después, se mantuvo la mejoría y el paciente se dio de alta.

* * *

Vino a verme un hombre de cincuenta y tres años, con problemas digestivos el año anterior, que le habían sido diagnosticados por rayos X como úlcera duodenal. De lo que se quejaba principalmente era de dolores de estómago recurrentes ocasionales, que no tenían relación con las comidas sino que siempre empeoraban con cualquier stress o tensión. Estos dolores lo despertaban a menudo a las 5:00 a.m., y los había tenido por lo menos durante los últimos diez años. En general era un hombre callado, calmado, usualmente estaba de buen humor con tendencia a tragarse cualquier agresión, lo cual ocurría inevitablemente en su trabajo, que tenía que ver con un frecuente intercambio de personal. Generalmente era demasiado tolerante y calmado. Se había orinado en la cama hasta casi los veinte años.

Inicialmente le dimos *Natrum Mur.*, seguido de *Kali. Carb.* Esto lo mejoró temporalmente pero inmediatamente después hubo una recaída, y entonces prescribimos *Ornithogalum* seguido de *Nux Vomica.* Después de ocho meses de tratamiento, desaparecieron todos los síntomas, con ausencia de dolor o de sensibilidad. Sus problemas de largo tiempo con hemorroides, que le habían causado bastantes molestias a través de los años, con comezón y sangrado, también se aliviaron completamente con el tratamiento, no habiendo necesidad de tomar medidas específicas para esto. No tuvo recaídas del problema digestivo cuando lo vimos para una revisión a los seis meses.

Índice de tratamientos

Ataques cardiacos

Definición	Insuficiencia aguda del suministro de la sangre al corazón, a través de los vasos coronarios.
Causas	Hipertensión, ateroma, stress, anemia.
Síntomas	Dolor, colapso y shock.
Tratamiento	*Nux Vomica*; *Arsenicum*; *Cactus*; *Crataegus*; *Spigelia*; *Aconito*; *Lachesis*; *Digitalis*. Esta condición siempre debe estar bajo la supervisión y cuidado directo de un médico.
Nux Vomica	Está indicada para el ejecutivo ambicioso que está altamente presionado y es supercontrolado. Exteriormente es calmado y suave, interiormente está hirviendo. Típicamente tienen un corto circuito y estalla con brotes de ira que duran poco, a menudo en el hogar.
Arsenicum	Está indicado para el adicto al trabajo, que es tenso, perfeccionista, obsesivo. Friolento, siempre muy ansioso y temeroso del presente e incierto sobre el futuro. Generalmente es incapaz de compartir sus temores y sentimientos subyacentes.
Cactus	Para la angina de pecho, el pecho se siente apretado y constreñido como si hubiera algo pesado que estuviera orpimiendo y estrujando las paredes del pecho. Empeora con el ejercicio.

Crataegus	Éste es un tónico específico para el corazón; es útil cuando hay respiración entrecortada al hacer esfuerzo e hinchazón en los tobillos, que usualmente indican que el corazón falla.
Spigelia	Es útil para las palpitaciones, que usualmente empeoran con el movimiento y hay dolor en el pecho y la espalda.
Aconito	Es útil para el ataque agudo con dolor severo que empeora con la actividad.
Lachesis	Es útil en la enfermedad del corazón senil, cuando los tobillos están amoratados e hinchados y el corazón se siente comprimido por el tamaño de las paredes del pecho.
Digitalis	El remedio básico más importante cuando hay colapso y el pulso es muy lento y débil con ansiedad. Empeora con cualquier movimiento.

Bochornos

Definición	Se experimenta un súbito calor y à menudo sudoración, que cunde por todo el cuerpo.
Causas	Menopausia.
Síntomas	Como arriba.
Tratamiento	*Pulsatilla*; *Glonoine*; *Amyl Nitrate*; *Strontia Carb.*; *Sanguinaria*; *Veratum Viride*; *Aconito*.
Pulsatilla	Uno de los remedios más útiles generalmente para el temperamento de *Pulsatilla*. Siempre empeora con el calor, y no es sedienta.
Glonoine	Hay una congestión de la cara y la cabeza muy intensa con una marcada sensación de palpitación dolorosa. El calor en cualquier forma agrava el problema. Usualmente los ataques son súbitos, violentos e inesperados.
Amyl Nitrate	Bochornos súbitos y abrumadores.
Strontia Carb.	Hay bochornos súbitos, que se alivian si se envuelve la cabeza para calentarla.
Sanguinaria	Este remedio es para las que tienen menstruaciones profusas y abundantes, dolor de cabeza y bochornos, dolor en los hombros, especialmente del lado derecho.

Veratum Viride	Uno de los remedios más útiles. La principal indicación para el remedio es la congestión rápida, y es valioso cuando hay brotes súbitos y abrumadores de calor en la cara y la cabeza.
Aconito	Ayuda para los brotes súbitos y violentos de calor durante la menopausia.

Coágulos menstruales

Definición	Se arrojan coágulos en el flujo menstrual.
Causas	Menopausia.
Síntomas	Como arriba.
Tratamiento	*Platinum*; *Ustilago*; *Crocus Sat..*; *Trillium*.
Platinum	El flujo se adelanta, es abundante y con coágulos espesos y negros en las personas altivas y orgullosas en el marco de *Platinum*.
Ustilago	Hay un flujo rojo brillante y con coágulos.
Crocus Sat.	Hay un flujo abundante e indoloro con coágulos negros que parecen alquitrán y hay dolor abdominal.
Trillium	Se arrojan coágulos escarlata y se asocia al dolor de rodillas.

Hemorragia menstrual

Definición

Flujo menstrual excesivo e incontrolable.

Causas

Menopausia, fibromas.

Síntomas

Flujo excesivo y prolongado.

Tratamiento

Sepia; *Lachesis*; *Ustilago*; *Platinum*; *Belladona*; *Kreosotum*; *Bovista*; *Carbo Veg.*; *Crocus Sat.*

Sepia

Es útil cuando hay dolores de pujo y en la cintura, mejora con movimientos rápidos y violentos, mejora al mediodía y en la tarde. A menudo los periodos menstruales se atrasan y son escasos o muy abundantes. Se sienta con la pierna cruzada porque siente que se le sale la matriz.

Lachesis

El remedio más importante que generalmente controla el problema. Comúnmente hay dolor de cabeza, sonrojo, extremidades frías, opresión en el pecho y también fatiga.

Ustilago

Otro remedio que ayuda mucho; es frecuente el vértigo, la hemorragia es rojo brillante y parcialmente coagulada. Hay dolor en la región del ovario izquierdo.

Platinum

Es abundante con coágulos cuando se trata de una personalidad orgullosa y altiva a menudo deprimida.

Belladona

Los periodos menstruales son muy abundantes, con calambres dolorosos y sangre brillante y roja y puede haber un flujo mal oliente.

Kreosotum	El periodo menstrual se adelanta y es muy abundante, el abdomen se siente hinchado y a menudo hay un dolor de cintura que tira hacia abajo.
Bovista	Un remedio muy útil cuando los periodos menstruales vienen cada dos semanas y son muy abundantes.
Carbo Veg.	Otro remedio valioso, particularmente útil cuando los periodos menstruales vienen demasiado pronto y son excesivos.
Crocus Sat.	Puede ser ofensiva y negra, y la hemorragia empeora con cualquier movimiento.

Hipertensión

Definición

Elevación de la presión sanguínea, arriba de los niveles normales para la edad.

Causas

Obesidad, tensión, esfuerzo.

Síntomas

Puede no tener síntomas, o dolor de cabeza, fatiga, zumbido en los oídos.

Tratamiento

Natrum Mur.; *Glonoine*; *Crataegus*; *Gelsemium*; *Sulphur*. Ésta siempre debe ser atendida por un médico. Usualmente debe controlarse el peso para lograr que llegue a su nivel normal, y debe restringirse la ingestión de sal.

Natrum Mur.

Uno de los mejores remedios básicos. Ayuda para relajar al paciente, reduce la ansiedad y elimina cualquier retención de líquidos, lo cual reduce la presión sanguínea.

Glonoine

Es valiosa cuando hay dolores súbitos de cabeza punzantes y palpitaciones, una sensación de que el pecho está lleno, a menudo la respiración es pesada.

Crataegus

Éste es un tónico cardiaco muy útil, cuando hay respiración difícil con cualquier esfuerzo y un pulso irregular; a menudo está asociada con enfermedad del corazón.

Gelsemium

Es útil cuando hay debilidad, vértigo y temor de colapso.

Sulphur

A menudo resulta muy útil en casos difíciles.

Indigestión

Definición

No se digieren los alimentos sin tener molestias en alguna forma.

Causas

Dietéticas, úlcera péptica, infección.

Síntomas

Dolor, flatulencia, náusea, incomodidad.

Tratamiento

Nux Vomica; *Natrum Mur.*; *Pulsatilla*; *Arsenicum.*; *Lycopodium*; *Carbo Veg.*; *Calc. Carb.*; *Sulphur*; *Bryonia.*

Nux Vomica

Hay una pesadez después de los alimentos, acidez, flatulencia y un sabor amargo; siempre empeora en las mañanas o después de la media noche. Son comunes la náusea y el vómito. Hay irritación y estreñimiento. Es útil después de haber comido demasiado.

Natrum Mur.

Una indigestión asociada con nerviosismo y tensión, con acidez y dolor en el alto abdomen. Estreñimiento. Se consume demasiada sal.

Pulsatilla

Se siente que la comida está atorada bajo el esternón, la lengua está cubierta de blanco, no tienen sed, los síntomas son periódicos y variables. Los pacientes desean la comida con mucho almidón, lo cual agrava el problema; no toleran las grasas. Después de unas dos horas de haber comido se sienten llenos e inflados. Usualmente empeoran al atardecer.

Arsenicum	Dispepsia, se ve en una persona agotada y débil, que no tiene apetito, friolenta, no puede digerir nada. A menudo tiene diarrea y es puntillosa y exigente.
Lycopodium	Tienen deseos de dulces, especialmente chocolates. La flatulencia es marcada y tienen ruidos abdominales y náusea, no toleran que se demoren las comidas, lo cual les causa una sensación de vacío.
Carbo Veg.	Hay náusea con sabor amargo y ácido, gases y flatulencia, dolor en el epigastrio del alto abdomen. Todos los síntomas empeoran después de los alimentos.
Calc. Carb.	Hay un sabor agrio constante en la boca. El apetito es variable y lento. La digestión nunca es buena, tiene tendencia a ser ruidosa, lenta y dolorosa. Nunca se disfruta realmente la comida.
Sulphur	Un remedio excelente para la dispepsia crónica con eructos agrios y ofensivos, estreñimiento y flatulencia; a menudo es útil cuando se asocia con beber excesivamente.
Bryonia	Hay un dolor pesado inmediatamente después de comer, náusea, un sabor amargo y dolor de cabeza en la frente. Los dolores irradian hacia los hombros y la espalda.

Lumbago

Definición Dolor de la parte baja de la espalda, en la región sacroiliaca, que involucra los músculos lumbares y los ligamentos sacros con una distribución como faja.

Causas Frío, humedad, corriente de aire, esfuerzo, que provocan reumatismo muscular.

Síntomas Hay dolor, incapacidad, empeora con el movimiento.

Tratamiento *Rhus Tox.*; *Aconito*; *Arnica*; *Bryonia*; *Ant. Tart.*; *Sulphur*; *Cimicifuga*.

Rhus Tox. El mejor remedio cuando se debe a un esfuerzo muscular, después de haber estado expuesto al frío.

Aconito Solamente en casos agudos y tempranos.

Arnica Cuando está asociado con esfuerzo muscular y dolor como de magulladura.

Bryonia Para lumbago menos agudo, que siempre empeora con el movimiento.

Ant. Tart. Es valiosa cuando hay dolor contínuo, náusea y vómito, empeora con el frío.

Sulphur Ayuda cuando hay lumbago crónico.

Menopausia

Definición

El periodo del cese de la menstruación.

Causas

Psicológicas, final del ciclo reproductivo activo de la ovulación.

Síntomas

Bochornos, periodos menstruales irregulares o ausentes, tensión emocional.

Tratamiento

Lachesis; *Pulsatilla*; *Cimicifuga*; *Veratum Viride*; *Caulophyllum*; *Amyl Nitrate*; *Sanguinara*; *Bellis Perennis*.

Lachesis

El más útil de todos los remedios cuando la paciente está peor al despertar, con dolor de cabeza, bochornos, sudoración, vértigo y una sensación de opresión en el pecho.

Pulsatilla

Uno de los mejores remedios para "bochornos" en una persona rubia de temperamento plácido que es muy cambiante y llorosa. A menudo se asocia con hemorroides o venas váricosas.

Cimicifuga

Otro remedio útil cuando hay irritabilidad, inquietud y depresión, con dolor de cabeza y una sensación de debilidad y hundimiento en la boca del estómago.

Veratum Viride

Es de gran valor para controlar los bochornos molestos durante la menopausia y después.

Caulophyllum

Ayuda cuando hay tensión nerviosa, inestabilidad emocional y excesiva ansiedad.

Amyl Nitrate	Otro remedio útil para bochornos súbitos en la cabeza y la cara.
Sanguinara	Para dolores de cabeza y bochornos en la menopausia.
Bellis Perennis	Para agotamiento, dolor de espalda y fatiga.

Obesidad

Definición	Peso corporal excesivo.
Causas	Usualmente se debe a comer compulsivamente, a menudo por una causa emocional subyacente.
Síntomas	Fatiga, lentitud de respuesta.
Tratamiento	*Thyroid 3x*; *Natrum Mur.*; *Calcarea*; Bayas de *Phytolacca*.
Thyroid 3x	Es útil cuando hay un cuadro clínico de lentitud, una piel seca y se cae el cabello, a menudo se asocia el estreñimiento.
Natrum Mur.	Es útil cuando hay retención de líquidos, que contribuye al exceso de peso. El remedio usualmente causa orina abundante.
Calcarea	Para el marco de la persona de *Calcarea* pálida, voluminosa y fría. Frialdad con sentimientos severos de debilidad y apatía. Los pacientes tienden a desear huevos, y generalmente el apetito es caprichoso y a veces extravagante. Hay una depresión subyacente que hace más difícil cualquier forma de dieta porque tienden a compensar comiendo, particularmente alimentos calientes.
Bayas de *Phytolacca*	Se usa diariamente como tintura madre. Ésta ayuda a reducir sustancialmente el deseo constante de bocadillos.

5

LOS ANCIANOS
Y LAS DIFICULTADES
PARA SU CUIDADO

Para muchos ancianos, hacerse viejos es una etapa de reajuste tranquilo de las metas y valores al cambio de los tiempos y patrones cambiantes, aunque los principios básicos no hayan cambiado mucho. Es un tiempo de repensar, observar y meditar —cosechando los beneficios de la experiencia— y sin embargo reconociendo los patrones y a veces los errores de los primeros tiempos. A menudo los ancianos aprecian cómo tales errores se dan en la búsqueda de soluciones rápidas a problemas crónicos, cuando la única respuesta es un cambio lento de actitud, educación y experiencia a través de una generación o dos. Ha habido tiempo y oportunidad de mirar tales soluciones y cambios que funcionaron en situaciones anteriores, y se ha podido apreciar qué tan efectivas han sido. Todo esto proporciona una plenitud, una sabiduría y una filosofía que viene con los años de experiencia.

Usualmente hay una actitud saludable a la jubilación cuando se ha preparado bien y se ha aceptado emocionalmente sin lamentarse. La jubilación es un tiempo de ociosidad y redad y relajamiento, y a menudo un descanso. Libres de la presión del trabajo, por fin hay tiempo para hacer una pausa y replantear metas y actividades. Con este sentimiento de relajación y ausencia de presiones agudas, viene el premio de la madurez, ya que el empuje competitivo del hombre más joven aminora y finalmente el dinamo de la libido se agota. La necesidad de ganar puede adoptar un lugar secundario a las prioridades más importantes de la calidad y el cuidado de la vida.

Sin embargo, con la vejez, muchos ancianos se vuelven vulnerables y sienten temor e inseguridad fuera del cauce principal de la sociedad. Este sentimiento empeora si de alguna manera están resentidos o son críticos de los inevitables cambios y recambios de los valores y modas que se dan cada tantos años. Muchos aceptan alegremente un lugar secundario y disfrutan el rol de espectadores cuando los asuntos los involucran menos directamente. Otros, particularmente los del temperamento de *Nux Vomica*, todavía no son capaces de aflojar, relajarse y delegar, y siguen involucrándose intensamente en cualquier cosa que les preocupa.

Siguen interpretando un rol innecesariamente activo, presionándose demasiado. A causa de inseguridades profundamente enraizadas, todavía necesitan tener una posición de status y prestigio para asegurarse de su valor intrínseco, y por lo tanto no aprovechan realmente la jubilación y la libertad que ésta conlleva. Repiten patrones de conducta rígidos y son incapaces de cambiar sus actitudes básicas. A menudo la *Nux Vomica* en alta potencia, si se toma en la fuerza de 200, ayuda a romper tales actitudes de irritabilidad y compulsión. Frecuentemente es necesario repetir el remedio varias veces con el fin de lograr algún grado de relajación y estabilidad.

Naturalmente todas estas respuestas varían con el individuo, y mucha gente es excepcionalmente fuerte, segura y alerta mental y físicamente. Son capaces de trabajar duro, regular y eficientemente, aun a los setenta, a menudo con una profesión bien establecida o un negocio. Para ellos la jubilación está fuera de discusión y sería imprudente, puesto que disfrutan plenamente los frutos de su trabajo, su visión y planeación. Tales gentes a menudo se conservan bien, físicamente alertas, aptos e involucrados activamente, dinámicos e interesados en lo que está sucediendo. Viajan y se conservan al máximo de su capacidad al parecer indefinidamente.

Con la vejez viene el proceso inevitable de pérdida de elasticidad del cuerpo, y los ancianos van siendo menos independientes y capaces de bastarse a sí mismos en la medida en que los procesos físicos declinan y el vigor, la fuerza y el sentido de rapidez de respuesta se vuelven menos confiables. Esto se puede ver particularmente en el caso de conducir un auto, cuando los reflejos pueden haber disminuido, y las reacciones son más lentas en cualquier área desconocida o situación de emergencia. La homeopatía juega un papel importante para sobreponerse a estos problemas, y a menudo genera una mejoría general, incrementando la energía y la apertura de las actitudes en la medida que la salud en general mejora con los remedios.

Para la mayoría de la gente hay una lenta declinación del vigor físico y un cambio de actitudes mentales. Es común especialmente una tendencia a la rigidez y a la repetición con menos flexibilidad. Cuando hay un endurecimiento tanto de los tejidos como de las actitudes, son útiles el *Natrum Mur.* y el *Arsenicum.*

En cada edad hay una necesidad de seguridad. Esto es especialmente cierto en el caso de los ancianos a causa de su sentimiento de vulnerabilidad. A menudo predominan los sentimientos depresivos, con una sensación de soledad y aislamiento. Usualmente tales sentimientos ocurren naturalmente después de la pérdida de un miembro cercano de la familia, un amigo o vecino. El remedio de preferencia para estos problemas de pesadumbre y pena es la *Ignatia.* Cuando se agrega el problema de temor y falta de confianza, están indicados la *Pulsatilla* o el *Natrum Mur.*

Estas épocas siempre se hacen más fáciles y menos aparentes cuando se tiene la compañía y contacto con otros miembros de la familia. La joven pareja juega un rol muy importante si pone atención a la psicología del sentido común que estimula el interés y el discernimiento. Las visitas regulares pueden dar a los padres ancianos o a los abuelos algo que compartir y esperar. Hablar, compartir ideas, discutir (sin necesidad de estar siempre de acuerdo) y escuchar, todo esto ayuda a mantener la mente de los ancianos alerta y flexible.

En cualquier edad, cuando hay una falta de confianza básica, fácilmente se desarrollan temores hipocondriacos a la muerte, el cáncer o la enfermedad del corazón. En los ancianos, estos temores y preocupaciones pueden ser más severos y problemáticos que en otras edades. Cualquier nueva queja física siempre se deberá discutir con el médico para excluir la posibilidad de una enfermedad orgánica, y puede ser necesario un examen. Al mismo tiempo, el doctor puede explicar cómo el temor, por cualquier causa, puede crear una sensación de enfermedad y así confundir la mente. A menudo, las quejas ordinarias cotidianas pueden distorsionarse fácilmente para simular catástrofes de proporciones enormes. Si se les tranquiliza y se les hace examinar regularmente por un médico, se pueden controlar estas convicciones ilusorias. Cuando hay un convencimiento de que se acerca el fin del mundo, no importa cuánto se les tranquilice y se les haga ver la realidad, a menudo proporciona consuelo y descanso el *Aconitum* a la 200 potencia.

A menudo los ancianos se sienten solos y se aíslan si se encuentran en lugares desconocidos. Cuando hay un cambio en las últimas etapas de la vida, quizá a un nuevo departamento o casa de campo, no es fácil hacerse de amigos. Se extrañan las caras y las tiendas conocidas, y la soledad se vuelve un problema. La estabilidad en el medio ambiente y lo que nos rodea siempre ayuda a establecer la seguridad y la confianza. Un cierto grado de confusión y desorientación es normal a cualquier edad cuando hay un cambio de casa y de entorno. Esto también puede pasar aun cuando nada más se trate de la nueva distribución de una habitación que se ha usado mucho. Estos sentimientos de confusión son usualmente efímeros y cortos, particularmente cuando los cambios se han preparado y planeado bien. Un cambio súbito de ambiente no planeado puede provocar mucho stress a una persona anciana y propiciar el comienzo de un estado de confusión irreversible. Cuando estos cambios se dan poco después de una enfermedad reciente u operación o cuando hay una tendencia subyacente al temor y al pánico, éstos son particularmente peligrosos. Para muchas personas ancianas, lo ideal es que estos cambios se mantengan al mínimo y un ambiente estable a menudo asegura un proceso de envejecimiento fácil y feliz. Si la joven pareja aborda esta situación de una manera delicada y considerada, puede contribuir mucho a prevenir que se desarrollen estos problemas de confusión y aislamiento.

Cuando ocurre una depresión, a menudo es a causa de la complicación de un sentido de aislamiento o confusión. Usualmente ha habido negligencia física de parte de los amigos y la familia, lo que ha llevado al aislamiento, en el que faltan las necesidades básicas de contacto, conversación, visitas y amistad. A menudo la homeopatía puede aliviar la depresión y el *Kali. Carb.* y *Lycopodium* son particularmente útiles.

Un problema común es el insomnio, que a veces se ve agravado por dolores artríticos en las articulaciones que causan incomodidad en la noche, a menudo al amanecer. Puede haber una sensación general de nerviosismo e incapacidad de relajarse, especialmente después de cualquier cambio de rutina, dieta o patrón establecido. La combinación de, ya sea *Lycopodium, Bryonia* o *Kali. Carb.* usualmente cura el insomnio, y al mismo tiempo alivia los dolores de las articulaciones y cualquier tendencia a trastornos de la digestión.

A causa del descenso en la resistencia y la vitalidad, hay una creciente vulnerabilidad a todos los problemas de la mala circulación. Son comunes el enfriamiento de las extremidades y una tendencia a los sabañones. También puede darse la hipotermia, que es una caída de temperatura debida al frío, y esto puede requerir hospitalización urgente. *Carbo Veg.*, *Hamamelis* y *Agaricus* son remedios básicos importantes para estimular un saludable abastecimiento de sangre a las manos y a los pies.

Cuando hay un deterioro del balance natural entre las necesidades del corazón y el suministro de energía a través de la circulación se provocan palpitaciones, fatiga y dolores del pecho. A menudo esto es a causa del endurecimiento de las arterias y está asociado con un aumento de la presión arterial. Una complicación más es la hinchazón de los tobillos cuando el corazón ya no puede darse abasto con su trabajo, entonces éste falla y provoca una falta de aliento. La presión arterial alta agrega un esfuerzo más sobre el cuerpo, y si es severa y no se atiende puede provocar eventualmente un ataque fulminante o hemorragia cerebral. Todos estos problemas necesitan la atención dedicada del médico de la familia, y sus consejos sobre dieta, peso óptimo y descanso son esenciales para mejorar la salud en general. El *Crataegus, Natrum Mur.* y *Digitalis* son remedios que ayudan a estimular una mejoría de la función cardiaca y una mejor salud.

Un problema muy común es el estreñimiento. La inactividad general involucra tanto la circulación como la función intestinal. Usualmente esto no representa un problema serio y la *Nux Vomica* o la *Bryonia* lo curan. Es importante poner atención al ejercicio diario adecuado y a la cantidad de verduras y fibra (salvado) que se toma en la dieta con el fin de estimular un funcionamiento normal de los intestinos.

La pérdida natural del tono de los tejidos puede provocar una tendencia creciente al prolapso uterino, y a menudo la *Sepia* es un tratamiento valioso para estos casos. Las hemorroides y las venas varicosas son también comunes y responden bien a los remedios clásicos.

La hernia hiatal puede ser una fuente más de dolor y ansiedad con una sensación desagradable de ardor al agacharse y con el movimiento en general. La respuesta a la *Nux Vomica* a menudo es muy positiva.

En los hombres, los problemas de la próstata son una fuente frecuente de incomodidad y perturbación. La respuesta a la *Sabal Ferrulata* es a menudo rápida y dramática y puede eliminar completamente la necesidad de la cirugía. En ambos sexos puede haber una tendencia a una debilidad de la vejiga, la que responde bien al *Causticum*.

Quizá el problema físico mayor en esta edad es la artritis, una fuente común de dolor, incomodidad e incapacidad. El mal puede involucrar las pequeñas articulaciones de las manos y las muñecas o las articulaciones mayores de las rodillas y las caderas. Hay rigidez y lentitud, a veces con el desgaste de los músculos circundantes, y debilidad debida a la inactividad forzosa provocada por el dolor al moverse. La artritis es frecuentemente ligera y más una molestia que un problema severo, aunque esto varía grandemente con el individuo y con la edad, la severidad y la duración de la enfermedad. Usualmente la respuesta a los remedios homeopáticos es positiva y a menudo ésta aumenta el movimiento de las partes afectadas. Los principales remedios son *Rhus Tox.*, *Pulsatilla*, *Bryonia*, *Ruta* y *Causticum*, dependiendo del patrón de los síntomas individuales. La mayoría de los dolores artríticos empeora con la humedad, pero los que responden a la *Ruta* se alivian con la humedad, y se agravan con el aire fresco y seco.

Hay una tendencia común a que se reduzca la vista y el oído a través de los años. El vértigo y los ruidos auditivos pueden manifestarse con ruidos de zumbidos, murmullos y silbidos, que se deben a cambios degenerativos y deterioro de la circulación en el oído medio. Frecuentemente estos problemas se pueden ayudar con *Ácido Salicílico*, *China*, *Graphites* o *Rhus Tox*. A menudo la falla de la vista y la sordera son dificultades que fácilmente llevan al aislamiento y la confusión si no se atienden. Los remedios homeopáticos pueden proporcionar algún alivio aunque muchos casos requieren tratamientos físicos adicionales, por ejemplo anteojos o un aparato auditivo. Un problema muy común son las cataratas que producen una visión borrosa y ceguera creciente. En las etapas tempranas el proceso puede detenerse y curarse con el tratamiento homeopático correcto, mientras que otros casos que fueron descuidados requieren cirugía oftálmica.

El Herpes Zoster se debe a una infección de los nervios periféricos por el virus de la varicela. Las ampollas típicas y las cicatrices pueden ser muy dolorosas y durar varias semanas o más. El *Caladium, Rhus Tox.* y *Urtica* contribuyen a restaurar rápidamente la salud. La crema *Hypercal* aplicada localmente a menudo es suavizante y calmante para el área irritada.

Muchas enfermedades se pueden evitar si se toman precauciones de sentido común. Hay que asegurarse que la dieta básica sea adecuada, nutritiva y caliente, particularmente durante el invierno, por el peligro de la hipotermia. La comida debe ser ligera y fácilmente digerible, apetitosa, agradablemente presentada, poca en cantidad pero no sólo un bocadillo sacado de una lata cuando se está solo. Se recomienda un buen surtido de fruta fresca según el gusto, para obtener vitaminas, azúcares naturales y energía. Hay que evitar las comidas pesadas y excesivas ya que el sistema digestivo no puede con ellas. Es mejor tomar la comida principal al mediodía en lugar de en la noche. Para la mayoría de los ancianos, es mejor mantener la sal al mínimo, y usualmente no son toleradas las especias, las comidas muy condimentadas y las grasas. Cuando forman parte de un patrón regular, el vino y el alcohol en moderación son agradables y en la noche propician el sueño. Es mejor evitar las bebidas fuertes, y se puede tomar una pequeña copa en la noche. Se puede permitir fumar con moderación, con la condición de que esto no constituya un riesgo para la salud que pueda agravar una bronquitis, enfisema o problema de corazón. Cuando sea posible se debe fumar con moderación sensata —cinco o seis cigarros al día es el número adecuado para la mayoría de la gente. Sin embargo, no hay reglas rígidas o seguras pues muchos ancianos han fumado toda su vida sin efectos nocivos aparentes. Para un fumador habitual y confirmado, tratar de eliminar el hábito puede provocarle agitación y tensión. Para la mayoría, el fumar debe de mantenerse al mínimo, y debe de dejarse totalmente si hubiera algún signo de tos, dificultad respiratoria o infección del pecho.

Generalmente la ropa debe ser caliente, ligera y confortable, ya que la mayoría de los ancianos son sensibles al frío. Usualmente ellos están conscientes del número de prendas que mejor les acomoda para sus necesidades y confort. Es recomendable el ejercicio regular, como caminar en el parque o en el campo, un juego de golf o la natación para vigorizar y mantener la salud, con la condición de que se hagan dentro de los límites de la fatiga. Esto es especialmente útil para la prevención de la artritis y la rigidez.

Es prudente evitar forzar demasiado la espina y las articulaciones cargando bolsas de la compra pesadas o empujando cortadoras de pasto. Debe tenerse especial cuidado cuando exista una historia de angina de pecho o cualquier tendencia a la hipertensión. Durante la temporada de calor, cuando éste es opresivo, a menudo la circulación sufre una presión extra, así que hay que evitar cualquier esfuerzo superfluo en este tiempo.

Una siesta tranquila después de la comida es agradable y a menudo necesaria puesto que las reservas del cuerpo están más bajas en la tarde. La mayoría de los ancianos necesitan dormir menos y se despiertan antes que los otros miembros de la familia, por lo tanto se agradece que se dejen las cosas necesarias para prepararse un refrigerio temprano en la mañana, ya que estas horas tempranas pueden parecer largas y tediosas.

En general, la salud y la actividad disminuyen sólo lentamente, aunque cualquier súbita ansiedad o cambio de rutina puede desencadenar un deterioro de la vitalidad y la salud. No hay reglas absolutas para una vida prolongada y saludable, pero un matrimonio feliz, sentido del humor y un temperamento filosófico son ingredientes importantes para mantener la juventud y la elasticidad. Los factores hereditarios pueden jugar un rol para decidir qué tan rápidamente disminuyen la memoria y la circulación, pero sentirse viejo es básicamente una actitud mental.

Algunos casos típicos

Vino a verme una mujer de sesenta y cinco años con un problema de sensibilidad anormal a todas las formas de luz, y sólo podía, con la mayor dificultad, salir de la casa portando anteojos oscuros todo el tiempo y cubriéndose la cabeza con un pañuelo. Cuando la vi estaba en una situación angustiosa, con la cara oscura, roja e inflamada, los párpados hinchados, y cualquier forma de luz o calor le provocaba ardor intolerable e irritación en la piel hinchada. El poblema le había sobrevenido cuando usó una crema de esteroides en la cara para un ligero eczema; se había dormido en el sol cuando estaba en el jardín, y se había quemado un poco. Desde ese momento la cara había sido causa de irritación, se inflamaba y le ardía con cualquier exposición a la luz, aunque fuera el resplandor del fuego.

Inicialmente le dimos *Pulsatilla* en alta potencia, como remedio constitucional, seguida de *Cantharis*, a causa de las quemadas severas de la cara. Dos meses después había mejorado, la cara ya no estaba tan roja, y le prescribimos *Natrum Mur.* seguida de *Sulphur* y *Belladona*. Un mes después no estaba mejor y se sentía desalentada y deprimida. Entonces le dimos crema de *Urtica* y más *Belladona* a la sexta potencia baja. Dos semanas después de esto la piel se mejoró otra vez, estaba menos roja y adolorida, pero empeoraba con cualquier exposición al sol. Le prescribimos *Sol 30*, tres dosis semanales, y dos meses después había una marcada mejoría, y ya podía tolerar el resplandor del fuego y se sentía un poco mejor en general. Sin embargo, la más mínima corriente de aire o los rayos del sol la molestaban profundamente. Recetamos *Arsenicum* en alta potencia, lo cual le provocó una marcada mejoría. Cuatro meses después estaba tan mejorada que ni siquiera reaccionaba con la luz y el enrojecimiento y la inflamación de la cara habían desaparecido completamente. A través de los meses siguientes no volvió a recurrir el problema.

* * *

Un conferencista retirado de sesenta y ocho años vino con problemas de depresión que había durado ya seis años. Inicialmente había habido un periodo de sobreactividad, seguido inmediatamente por un letargo y pérdida de interés. Lo único que quería hacer era estar acostado en cama. Su esposa lo describía como una "calamidad" y "discutidor", con mala memoria lo cual lo hacía muy olvidadizo. A través de los años, había probado numerosas drogas antidepresivas sin lograr alivio.

Inicialmente prescribimos *Baryta Carb.* a la 10M potencia, la que logró una rápida mejoría, ya no estaba tan decaído y estaba más activo y positivo. Pero, al mismo tiempo, se había vuelto mucho más agresivo y discutidor con su esposa. Se continuó con el mismo remedio sin cambio, y tres meses después había una marcada mejoría, pues tenía más iniciativa y se movía más rápidamente.

Cuando la mejoría disminuyó unos cuatro meses después, le dimos *Natrum Mur.* ya que había dejado de tomar su desayuno y se estaba sintiendo mal otra vez. Un mes después, prescribimos *Lycopodium*, que provocó una mejoría mayor en la memoria, el sueño y las actividades.

En este punto, por primera vez el paciente pudo reconocer que había mejorado y reportó que se sentía más persona. Después de seis meses prescribimos *Baryta Carb.* con mayor mejoría; ya no se sentía deprimido, estaba más calmado, y era más como solía ser antes de la sobreactividad de seis años antes, la que había disparado la enfermedad depresiva.

* * *

Vino una mujer de sesenta y siete años con una historia de cinco años de dolores constantes en el cuello debidos a un "pellizco de un nervio". Había usado un collar ortopédico durante varios meses, tres años antes, sin lograr ningún alivio, y ahora tenía dolores agudos como "puñales", si hacía cualquier movimiento, en la parte de atrás de la cabeza. Estos dolores agudos empeoraban en la mañana, en la noche y al estar acostada. Le dimos *Rhus Tox.* y dos semanas después estaba mucho mejor, más despierta y llena de energía, y el cuello mucho menos adolorido. Un mes después, reportó que sólo tenía muy ligeros dolores en la región del cuello y sentía que casi se le había olvidado que los tenía. Tenía una sensación general de ser más positiva, y la nota plañidera había desaparecido de su voz, de tal manera que se veía, sentía y se le oía como era antes. Tres meses después, en sólo dos ocasiones había tenido dolor severo en la parte de atrás de la cabeza, por lo demás estaba muy bien. Le dimos *Silicea* en la sexta potencia baja, seguida de *Rhus Tox.* Un mes después estaba bien; se sentía una persona diferente y había recobrado toda su energía. Seis meses después no habían vuelto los síntomas.

* * *

Vino una mujer soltera de setenta y seis años con un Herpes Zoster doloroso e irritante que se diseminaba desde el pecho izquierdo hasta la espalda en la típica línea de ampollas e infección. No se sabía de ningún contacto con varicela. Tenía ganglios dolorosos en la axila izquierda, y la erupción era caliente, roja y dolorosa, con un área dolorosa, negra y ampollada en el centro de la espalda al nivel de la erupción. Se agregaban a la molestia, dolores punzantes e insomnio. Prescribimos *Ramunculus Bulb.* a la 10M potencia junto con *Rhus Tox.* Dos semanas después se sentía mejor pero todavía tenía mucho dolor. La erupción del Herpes había mejorado, y se continuó con *Rhus Tox.* Después de otras dos semanas, todavía estaba adolorida con algunos dolores cortantes, pero ya podía hacer más cosas y la sensación de intranquilidad había desaparecido. Dos semanas después, se sentía mucho mejor, sin dolor, la erupción había disminuido y se estaba aliviando bien. Sin embargo, se sentía cansada y le dimos *Kali. Phos.*, seguida de *Arnica* para ayudar en la convalescencia. La recuperación fue permanente y sin recaída.

Una mujer bien conservada de setenta y ocho años vino porque había tenido caídas recurrentes en la calle a través de los últimos quince años. Durante este tiempo se había caído diecinueve veces y se había fracturado la muñeca en dos ocasiones como resultado de las caídas. Su otro problema era que tenía calambres en las manos y en los pies, por muchos años, que usualmente se le presentaban en el día y siempre empeoraban con cualquier stress o esfuerzo. Otro problema menor era una ligera rigidez artrítica en las manos y en las rodillas. Le dimos *Rhus Tox.* en alta potencia 10M, seguida de *Cuprum Met.* en la sexta potencia. Dos meses después reportó que no había tenido caídas, y que los calambres eran ligeros. Debido a su deseo por la sal, una tendencia a retener líquidos y sus ojos llorosos con el viento, prescribimos *Natrum Mur.* seguido de más *Cuprum*, como antes. Dos meses después, otra vez reportó que no había tenido más caídas y que los calambres habían mejorado mucho. Seis meses después estaba bien y había pasado una temporada completa libre de todo signo de tendencia a caerse o a tener calambres.

Afasia (después de apoplejía)

Definición	Incapacidad para hablar después de apoplejía.
Causas	Hemorragia cerebral o trombosis.
Síntomas	Pérdida súbita de la capacidad de articular palabras, o puede haber confusión de palabras.
Tratamiento	*Chelidonium*; *Lycopodium*; *Arnica*; *Gelsemium*; *Kali. Brom.*; *Anacardium.*
Chelidonium	Éste es un remedio muy útil, especialmente cuando está asociado con la sordera.
Lycopodium	Ayuda cuando las palabras sólo se pueden expresar con una gran dificultad.
Arnica	A menudo ayuda cuando la afasia sigue inmediatamente después del ataque agudo y es útil en una etapa temprana del problema en general.
Gelsemium	La lengua se siente gruesa, paralizada o lenta y no responde a la mente y al impulso de hablar. Irritable, las palabras le salen mal pronunciadas.
Kali. Brom.	El paciente está confundido y temeroso. Hay una completa pérdida de la memoria, ininteligible, las palabras son incoherentes, se usan mal y fuera de lugar, está agitado y muy temeroso de quedarse solo.

Anacardium

Es como si hubiera un tapón obstru-
yendo la boca y la lengua de tal manera que las palabras no salen correctamente y la lengua no puede funcionar
bien.

Agotamiento

Definición	Estado de fatiga y colapso, debilidad.
Causas	Stress físico o emocional en el cuerpo, quizá durante un periodo prolongado, anemia, convalescencia.
Síntomas	Agotamiento físico y colapso.
Tratamiento	*Arsenicum*; *Carbo Veg.*; *Arnica*; *Opium.*
Arsenicum	Es útil para una persona friolenta de carácter puntilloso cuando hay postración y colapso con sed y una piel seca.
Carbo Veg.	Hay agotamiento y colapso pero la piel está a menudo fría y húmeda debido a mala circulación periférica.
Arnica	Uno de los remedios básicos más útiles. Estimula las energías vitales del cuerpo. Generalmente estimula el descanso, relajación y una sensación de bienestar y confianza. Las reservas agotadas se pueden reconstituir otra vez y hacerlas accesibles al cuerpo.
Opium	Cuando el colapso es inminente y hay somnolencia e inercia extremas.

Articulaciones dolorosas (cadera)

Definición	Dolor en la cadera, usualmente del tipo artrítico.
Causas	Artritis.
Síntomas	Dolor e incapacidad.
Tratamiento	*Rhus Tox.*; *Bryonia*; *Ruta*.
Rhus Tox.	El primer remedio que se debe dar cuando hay rigidez y dolor al descansar; empeora al levantarse y mejora cuando hay movimiento sostenido y calor. Los dolores siempre son peores cuando hay frío y humedad.
Bryonia	Para la artritis, cuando esta condición mejora al descansar y empeora cuando hay movimiento y calor.
Ruta	Un remedio útil para la artritis y reumatismo de la cadera y las articulaciones grandes —a menudo mejora cuando hay lluvia y la temperatura es templada.

Articulaciones dolorosas (rodillas)

Definición	Dolor en la articulación de la rodilla.
Causas	Usualmente artritis.
Síntomas	Dolor y rigidez, incapacidad.
Tratamiento	*Pulsatilla*; *Rhus Tox.*; *Bryonia*; *Ruta*.
Pulsatilla	Éste es uno de los mejores remedios para la artritis de la rodilla. Se sienten peor con el calor y mejor si caminan en un clima frío. El paciente de *Pulsatilla* no tiene sed y a menudo es friolento, pero sobre todo, los dolores y síntomas son muy variables. Las rodillas truenan mucho.
Rhus Tox.	Es útil cuando los dolores mejoran con el calor, caminata y movimiento contínuo; empeoran con el frío, enfriamiento, corrientes de aire y humedad y por estar sentado durante un tiempo largo. Siempre están rígidas al levantarse.
Bryonia	Para artritis de la rodilla que empeora con el calor, mejora con el fresco y aplicaciones frías; mejora con reposo; se agrava con cualquier movimiento.
Ruta	Un remedio muy valioso para la rodilla cuando el que la padece mejora en un clima tibio y húmedo.

Artritis

Definición	Cambios degenerativos en las articulaciones, usualmente osteoartríticos.
Causas	Degenerativas o después de una caída o accidente.
Síntomas	Dolor, incapacidad y rigidez.
Tratamiento	*Rhus Tox.*; *Bryonia*; *Ruta*; *Calc. Hypophos.*
Rhus Tox.	Es el remedio básico de preferencia cuando se trata ya sea de las grandes articulaciones únicas o de las articulaciones múltiples pequeñas de las manos o los pies. El rasgo característico siempre es una artritis que está mejor con el calor, ya sea local o general y está peor al estar sentado y descansar o iniciar el movimiento. Siente alivio si hay movimiento sostenido y contínuo. A menudo hay rigidez y se agrava al levantarse.
Bryonia	Es útil para condiciones de articulaciones muy dolorosas, que empeoran con el más mínimo movimiento o sacudida, pero mejoran con descanso y aplicaciones frías. Como en el caso de *Pulsatilla*, los pacientes no toleran el calor.
Ruta	Un remedio general útil cuando hay alivio con un clima benigno, tibio y húmedo.
Calc. Hypophos	Es útil para el reumatismo y artritis de las manos.

Ataque cerebral

Definición

Parálisis de algunas partes del cuerpo.

Causas

Hemorragia cerebral, tumor, trombosis.

Síntomas

Pérdida de fuerza en la parte afectada del cuerpo, completa o parcial.

Tratamiento

Opium; *Guaiacum*; *Nux Vomica*; *Arnica*; *Phosphorus*; *Aconito*; *Baryta Carb.*; *Laurocerasus*; *Glonoinum*; *Belladona*.

En las etapas agudas el tratamiento debe estar dirigido por un médico.

Opium

El paciente está sonrojado, lento y en colapso o inconsciente. La cara está abotagada y oscura y la respiración es pesada, el pulso es lento y las pupilas dilatadas. Es útil para prevenir un ataque inminente.

Guaiacum

La debilidad es marcada. No hay coordinación ni fuerza en las extremidades y a menudo duelen. Son olvidadizos.

Nux Vomica

Hay espasmos de irritabilidad y confusión. Los miembros están débiles pero a menudo hay ataques súbitos de movimientos espasmódicos.

Arnica

Un remedio básico. Hay, ya sea una amenaza de ataques, o debilidad del lado izquierdo. Un rasgo son las escaras, un pulso pleno y respiración ruidosa y agitada.

Phosphorus	Son rasgos marcados la depresión, la debilidad y la ansiedad junto con una sensación de apatía y agotamiento. Es útil en condiciones degenerativas o tóxicas.
Aconito	Es útil en las etapas más tempranas, particularmente cuando hay ansiedad marcada. La piel está caliente y seca y el pulso saltón.
Baryta Carb.	Es útil para el periodo de parálisis después del episodio agudo, particularmente si hay parálisis del lado derecho que involucre la lengua.
Laurocerasus	En una forma de ataque agudo sin aviso, con colapso y piel que suda frío.
Glonoinum	Otro remedio útil para una amenaza de ataque con dolor de cabeza y un corazón lleno.
Belladona	Está indicada cuando el paciente está inconsciente, tiene la cara roja, las pupilas dilatadas y ha perdido el control de la vejiga. Puede ocurrir una retención aguda de orina.

Calambres (nocturnos)

Definición	Calambres súbitos, usualmente en las piernas, por la noche.
Causas	Desconocidas.
Síntomas	La persona se despierta con calambres agudos que a menudo duran poco.
Tratamiento	*Cuprum Arsenicum*; *Nux Vomica*; *Chamomilla*.
Cuprum Arsenicum	Éste es uno de los remedios mejores y más útiles —los calambres a menudo se dan en la ingle y el abdomen, así como en las piernas.
Nux Vomica	Es útil para calambres y espasmos, usualmente empeoran de las 2:00 a las 3:00 a.m., y se asocian con irritabilidad, estreñimiento, indigestión, dolor de cabeza y náusea.
Chamomilla	Es útil cuando falla el *Cuprum* en casos muy agudos y severos de dolores en los muslos y piernas.

Catarata

Definición	Opacidad del lente cristalino o su cápsula.
Causas	Senilidad o traumática.
Síntomas	Visión borrosa, brumosa, que mejora en condiciones de luz tenue y si se mira indirectamente y oblicuamente (puede haber un efecto de halo). Empeora con la luz directa del sol.
Tratamiento	*Calc. Fluor.*; *Calc. Phos.*; *Conium*; *Causticum*; *Natrum Mur.*; *Mag. Carb.*; *Santoninum*; *Phosphorus*; *Ácido Fluórico*; *Cineraria*.
Calc. Fluor.	Es útil para cualquier forma de endurecimiento rígido óseo, particularmente rigidez y endurecimiento de los tejidos del ojo.
Calc. Phos.	Cuando la visión es brumosa, disminuida y borrosa. Cuando cualquier tipo de luz irrita y causa dolor.
Conium	Está indicada para las cataratas cuando hay intolerancia a la luz.
Causticum	Ayuda en casos agudos.
Natrum Mur.	Es muy útil y valioso, particularmente cuando hay una historia de ingestión excesiva de sal.
Mag. Carb.	Es útil cuando está asociada con dolor y espasmo.
Santoninum	Está indicada cuando los objetos se ven amarillos.
Phosphorus	Uno de los remedios más útiles; los objetos se ven rojos.

Ácido Fluórico	Los ojos arden y duelen. Se tiene la impresión de tener arena o tierra que están irritando el ojo.
Cineraria	La tintura, una gota diaria. Para problemas de opacidad del lente.

Estados de confusión

Definición	Un estado de confusión mental en los ancianos.
Causas	Degenerativo senil, infecciosa cuando hay una temperatura alta, tóxico, mal orgánico del cerebro, alta presión arterial.
Síntomas	Confusión mental.
Tratamiento	*Opium*; *Baryta Carb.*; *Cannabis*; *Stramonium*; *Belladona*.
Opium	Es útil en estados de confusión ligeros, a menudo tienen la cara roja, dolor de cabeza, somnolencia e inminente catástrofe cerebral.
Baryta Carb.	Para estados de confusión senil ligeros.
Cannabis	Cuando se van las ideas, y hay estados ilusorios y confusos.
Stramonium	Está indicado cuando hay violencia con confusión, el paciente camina inquieto y no puede descansar.
Belladona	Es útil cuando hay un estado ilusorio asociado a una infección y la cara está de color rojo intenso, hay temperatura y un pulso saltón. Los pacientes usualmente están inquietos.

Falla de la memoria

Definición	Deterioro de la memoria en los ancianos.
Causas	Cambios degenerativos seniles en las células de la corteza cerebral.
Síntomas	Pérdida de la memoria de los acontecimientos recientes en los ancianos.
Tratamiento	*Lycopodium*; *Baryta Carb.*
Lycopodium	Ésta es una de las mejores medicinas para la memoria. Pérdida de la memoria debida principalmente a ansiedad extrema, la agitación exigente es característica, hay preocupación por todo, con temor a una futura calamidad, tanto así que las personas son incapaces de observar y concentrarse.
Baryta Carb.	Es útil para la pérdida de memoria senil y presenil de los acontecimientos recientes en los ancianos.

Herpes Zoster

Definición	Infección con el virus de la varicela en los ancianos, en que se forman grandes vesículas en donde pasa el nervio afectado.
Causas	Infección con el virus específico.
Síntomas	La erupción típica de vesículas, dolor, irritación, insomnio, seguido de cicatrices y, en algunos casos, neuralgia después del ataque.
Tratamiento	*Rhus Tox.*; *Urtica*; *Apis*; *Arsenicum*.
Rhus Tox.	Es útil cuando hay la erupción local con enrojecimiento, comezón y formación de vesículas. Los pacientes se sienten mejor con el calor y el movimiento y peor cuando están en cama.
Urtica	Es útil cuando hay hinchazón y formación de vesículas grandes.
Apis	Hay ardor punzante con enrojecimiento e hinchazón. El paciente no tiene sed y está inquieto. Se expulsa poca orina.
Arsenicum	Es útil en casos agudos con ardores, inquietud y postración. Los dolores son peores de noche después de la media noche y la ansiedad es marcada. El paciente tiene frío y usualmente mejora con aplicaciones de calor local y clima tibio en general.

Incontinencia

Definición	Pérdida del control normal de la vejiga, asociada con orinarse en la cama e incontinencia.
Causas	Infección, senilidad, estado de confusión.
Síntomas	Orinarse en la cama de día o de noche, o ambos.
Tratamiento	*Causticum*; *Ferrum Phos.*; *Baryta Carb.*; *Equisetum*; *Nux Vomica*; *Gelsemium*; *Sabal Serr.*; *Apis*.
Causticum	Uno de los remedios más útiles, cuando hay goteo; a menudo hay pérdida involuntaria cuando se tose o se ríe, debilidad general de la vejiga, con comienzo y final retrasados.
Ferrum Phos.	Cuando no se puede controlar la orina.
Baryta Carb.	Cuando la incontinencia se debe a senilidad.
Equisetum	Cuando está asociada con una infección.
Nux Vomica	Está indicada cuando hay goteo y pérdida de control. A menudo está asociada con dolor rasgante e irritabilidad.
Gelsemium	Es útil cuando la próstata está agrandada y hay una piedra en la vejiga.
Sebal Serr.	Cuando está asociada con una próstata agrandada.
Apis	Es útil cuando se pasa poca orina, hay somnolencia y edema de las extremidades y no hay sed. A menudo están asociados ardores pinchantes.

326

Juanetes

Definición	Crecimiento de la bolsa de la articulación metatarsal del dedo gordo del pie.
Causas	Usualmente se deben a la presión de zapatos angostos de la punta.
Síntomas	Dolor, enrojecimiento e hinchazón, que después de algún tiempo causa una deformación.
Tratamiento	*Hekla Lava*; *Agaricus*; *Silicea*; *Carbo Veg.*; *Ácido Nítrico*.
Hekla Lava	Es útil para reducir el tamaño de la inflamación y es el principal remedio que se debe usar.
Agaricus	Cuando hay enrojecimiento e irritación.
Silicea	Ayuda cuando la piel está agrietada y las extremidades están frías y húmedas.
Carbo Veg.	Es muy útil para mejorar la circulación general de las extremidades cuando ésta es un rasgo causante.
Ácido Nítrico	Un remedio para usarse cuando los juanetes se ulceran.

Mala circulación

Definición	Mala circulación periférica.
Causas	Arteriosclerosis.
Síntomas	Frío, amoratamiento, gangrena, sabañones.
Tratamiento	*Carbo Veg.*; *Lachesis*; *Pulsatilla*.
Carbo Veg.	Éste es uno de los mejores remedios cuando hay manos y pies amoratados, helados y a menudo sudorosos.
Lachesis	Está indicado cuando las extremidades están muy amoratadas o azules y menos heladas que en el caso de *Carbo Veg*.
Pulsatilla	Es útil en la constitución de *Pulsatilla*, cuando no se tolera el calor y no se tiene sed.

Mareo

Definición	La sensación de que los objetos giran alrededor de uno, o el sentimiento de una rotación subjetiva.
Causas	Degeneración, síndrome de Meniere, postinfecciosas, confusión, emocional.
Síntomas	Hay síntomas de vértigo, náusea, desmayo, sudoración, posiblemente sordera.
Tratamiento	*China*; *Ácido Salicílico*; *Arnica*; *Bryonia*; *Theridion*; *Ruta*; *Causticum*; *Gelsemium*; *Baryta Carb.*; *Lycopodium*; *Silicea*.
China	Mareo asociado con náusea, desmayo, zumbidos. Síndrome de Meniere. Empeora con el movimiento, corrientes de aire y aire frío.
Ácido Salicílico	Está indicado cuando hay una sordera simple, ruidos en la cabeza y síndrome de Meniere.
Arnica	Ayuda en las etapas tempranas. Hay mareo con los movimientos rápidos y cambios de postura como en el caso de levantarse demasiado aprisa. Náusea ligera. Mejora si se acuesta tranquilo en una habitación oscura.
Bryonia	Es útil para el síndrome de Meniere —cuando se tiene vértigo con cualquier movimiento súbito, como levantarse de una silla.
Theridion	Cuando está asociado con náusea y empeora con el movimiento.

Ruta	Cuando se asocia con debilidad y forzamiento de los ojos.
Causticum	Ayuda en los casos asociados con enfermedades del oído, y a menudo con debilidad urinaria.
Gelsemium	También es útil para enfermedades del oído y cuando hay una debilidad muscular general y agotamiento.
Baryta Carb.	Cuando la causa es circulación cerebral inadecuada.
Lycopodium	Ayuda en casos seniles asociados con mala circulación cerebral.
Silicea	Es útil para casos crónicos cuando la circulación general y periférica es pobre.

Micción frecuente (polaquiuria)

Definición	Orinar frecuentemente, día o noche.
Causas	Infección, diabetes, emocionales, senilidad y debilidad de la vejiga, tumor, pérdida degenerativa del tono de la vejiga.
Síntomas	Orinar con frecuencia, a veces con urgencia o dolor. Puede ocurrir de día y de noche.
Tratamiento	*Cantharis*; *Berberis*; *Equisetum*; *Digitalis*; *Sabal Serr.*; *Nux Vomica*.
Cantharis	Es el remedio de preferencia siempre que haya cistitis aguda con ardores, urgencia, frecuencia y a veces sangre en la orina. Si no hay ardores violentos y agudos, el remedio no está indicado.
Berberis	Se orina frecuentemente, ya que no se siente que la vejiga se vacíe, está asociada con dolores cortantes y rasgantes en la región de los riñones, siempre empeora con un movimiento hacia abajo, como cuando se agacha, también al estar acostado o sentado. El dolor se alivia si está de pie. La orina es babosa y café rojizo.
Equisetum	Éste es un remedio útil para la polaquiuria si hay menos urgencia y dolor que en el caso de *Cantharis*. La vejiga se siente llena constantemente y la orina es escasa y usualmente contiene mucho moco. La nicturia es frecuente.

Digitalis	Hay un deseo urgente de orinar a menudo asociado con agrandamiento prostático y es característica una sensación de presión en la vejiga.
Sabal Serr.	Otro remedio útil cuando la polaquiuria está asociada con agrandamiento prostático.
Nux Vomica	Hay polaquiuria con ardores pero sólo salen unas cuantas gotas. Es común el deseo de pujar y el goteo de orina es un rasgo.

Ruidos en los oídos

Definición

La impresión subjetiva de oir ruidos en los oídos y en la cabeza.

Síntomas

Se escuchan sonidos y ruidos varios en la cabeza.

Causas

Senilidad, hipertensión, síndrome de Meniere, ilusiones, infección, tumor.

Tratamiento

China; *Causticum*; *Ácido Salicílico*; *Sanguinaria*; *Lachesis*; *Aurum*; *Calc. Carb.*; *Ferrum Phos.*; *Carboneum Sulph.*; *Belladona*; *Sulphur*.

China

Este es uno de los mejores remedios. Se oyen ruidos como estruendos, timbres o campanas en los oídos, que siempre empeoran con el movimiento.

Causticum

Se oyen ruidos estruendosos y zumbantes y los sonidos usualmente retumban.

Ácido Salicílico

Uno de los remedios más útiles, a menudo está asociado con síndrome de Meniere. Frecuentemente hay dolor en los cartílagos del oído.

Sanguinaria

Hay ruidos estruendosos y zumbantes en los oídos e hipersensibilidad a los sonidos en general. Frecuentemente están asociados dolores reumáticos en el hombro derecho.

Lachesis

Ruidos estruendosos en los oídos, de tipo catarral, que mejoran si se mueve la oreja con un dedo.

Aurum	Tiene estruendos en los oídos y dolores que taladran, está asociado con un cuadro de severa depresión.
Calc. Carb.	Para problemas crónicos de oído en una constitución de *Calcarea*; los ruidos son zumbantes y estruendosos.
Ferrum Phos.	Es útil para pacientes anémicos cuando hay calor y ruidos en el oído. Hipersensibles al ruido, pero no está asociado con sordera.
Carboneum Sulph.	Ruidos zumbantes y tintineantes, que empeoran si se camina o se mueve y con el calor.
Belladona	Tintineo agudo, irritante y constante o ruidos zumbantes. Agitación.
Sulphur	Ruidos gorgoreantes o zumbantes en los oídos. Infección crónica, a menudo con una secreción purulenta.

Sordera

Definición   Pérdida del oído en los ancianos.

Causas   Degeneración.

Síntomas   Pérdida de ciertas notas y sonidos, o puede ser una pérdida total. A menudo es peor en una habitación ruidosa o cuando se les habla indirectamente.

Tratamiento   *Phosphorus*; *Pulsatilla*; *Graphites*; *Ácido Salicílico*; *Chenopodium*; *Carbo Animalis*; *Iodum*.

Phosphorus   Uno de los remedios más valiosos para problemas de audición en los ancianos —a menudo en una habitación en donde hay varios sonidos, o la conversación es indirecta.

Pulsatilla   Sordera, con dolores rugientes, son peores en la noche y con el calor. A menudo hay una secreción amarillo verdosa del oído.

Graphites   Hay una sordera que se siente mejor en un carro en movimiento. Es común que se dé un eczema atrás del oído, que produce una secreción pegajosa y de color miel.

Ácido Salicílico   Es útil en la sordera simple progresiva, a menudo asociada con el síndrome de Meniere.

Chenopodium   La sordera es específica a las notas de tono bajo y usualmente está involucrado el nervio auditivo.

Carbo Animalis	Una sordera en la que es imposible distinguir de qué dirección vienen los sonidos.
Iodum	Es útil en el caso de una sordera catarral temporal.

Vista cansada

Definición

Fatiga de las funciones visuales.

Causas

Envejecimiento de los músculos oculares y el lente, por trabajar bajo malas condiciones de luz y por demasiado tiempo.

Síntomas

Dolor de cabeza, falta de actividad visual, cansancio, no se puede afocar correctamente.

Tratamiento

Ruta; *Ledum*; *Calcarea*; *Natrum Mur.*; *Euphrasia*; *Gelsemium*.

Ruta

Es útil cuando se debe a que se ha trabajado demasiado. Los ojos están rojos, cansados y dolorosos, la vista está borrosa. Son comunes los dolores reumáticos, usualmente a estos pacientes les gusta la lluvia.

Ledum

Un tónico para los ojos, es útil para dolores y fatiga. A menudo está asociada una inflamación debida a una infección.

Calcarea

Éste es otro remedio muy básico y útil. Los ojos duelen y, como el resto del cuerpo, se sienten fríos y débiles. Hay irritación y los ojos lloran profusamente, y mejoran con lavados tibios o compresas.

Natrum Mur.

Muy útil cuando los ojos están débiles, se sienten rígidos y lloran fácilmente. Usualmente los pacientes toman mucha sal en la comida y son emotivos.

Euphrasia	Hay vista nublada, que empeora leyendo y escribiendo. Hay dolor, debilidad de la vista.
Gelsemium	Es útil cuando hay forzamiento de los ojos con visión doble, vista deteriorada y párpados pesados. Es común el estrabismo y se asocia con fatiga.

Úlcera varicosa

Definición

Úlceración de la pierna, que se debe a venas varicosas; usualmente hay mala circulación.

Causas

Venas varicosas, mala circulación, a menudo traumatismo.

Síntomas

Dolor y la úlcera puede estar roja e inflamada.

Tratamiento

Carbo Veg.; *Pulsatilla*; *Hypericum*; *Hamamelis*; *Merc. Sol.*; *Lachesis*.

Carbo Veg.

Cuando hay debilidad, frialdad, colapso y muy mala circulación periférica.

Pulsatilla

Es útil en casos crónicos cuando hay intolerancia al calor y no hay sed.

Hypericum

Son muy útiles la tintura y el ungüento. Otra aplicación local que ayuda es la miel.

Hamamelis

Un remedio básico muy útil. La circulación es mala y el miembro está helado, el área circundante de la úlcera es morada oscura y duele.

Merc. Sol.

Cuando hay una infección, pus y secreción maloliente.

Lachesis

Cuando hay un color amoratado del área, a menudo es crónica y del lado izquierdo. Usualmente duele más al despertarse y no se tolera ninguna constricción del cuerpo por ropa apretada.

REMEDIOS HOMEOPÁTICOS
PRIMERA EDICIÓN
SEPTIEMBRE, 1999
IMPRESIÓN Y ENCUADERNACIÓN:
QUEBECOR IMPREANDES
SANTA FE DE BOGOTÁ
COLOMBIA

11/08   3   2/08
 1/10   6   9/09.
11/12 (11) 10/12
12/14 (14) 10/14
3/19   (16) 1/17